増補新版

切手帖とピンセット

1960年代グラフィック切手蒐集の愉しみ

加藤郁美

国書刊行会

БЪЛГАРИЯ
Извънредна поредица пощенски марки „Седмица на детската книга и изкус
Поръчана с писмо № 545 от 10. II. 1969 г. на Министерството на съо
Техника „Дълбок печат" при Държавна печатниц

EERSTE DAG VAN UITGIFTE WILHELMUSPOSTZEGEL
'S-GRAVENHAGE 27 AUGUSTUS 1968

to A

収録切手国

ヨーロッパ
アイスランド　グリーンランド
ノルウェー　スウェーデン
フィンランド　デンマーク
オランダ　ルクセンブルク
フランス　モナコ　サンマリノ
スペイン　ポルトガル
ソビエト連邦　ポーランド
東ドイツ　チェコスロバキア
ハンガリー　ルーマニア
ユーゴスラビア　ブルガリア
キプロス

アフリカ
モーリタニア　セネガル
マリ　オートボルタ
ダオメ　ニジェール
カメルーン
ケニア　ソマリア
マダガスカル
英領セントヘレナ

中東
エジプト　イスラエル
レバノン　シリア　イエメン

アジア
パキスタン　インド　インドシナ
ラオス　ベトナム　カンボジア
中華人民共和国　香港　マカオ
北朝鮮　韓国
台湾　日本

北米
アメリカ

南米
メキシコ　キューバ
モンセラト　アンティル
スリナム　ブラジル
ウルグアイ　アルゼンチン

仏領南極地方　ほか

もくじ

コラム

＊切手の発行年は『ミッヘル・カタログ』に準じています。

プロローグ

切手蒐集室の午後

1

世界の切手を納めたスライド式の切手キャビネットに囲まれた蒐集室で、切手帖を広げて肩をよせあう子どもたちの光景。切手で世界と繋がる、切手で世界の断片を手に入れストックする——、個人の海外旅行が難しかった 1960 年代の大人たち子どもたちは、切手で世界にアクセスすることにわくわくしていたのでした。

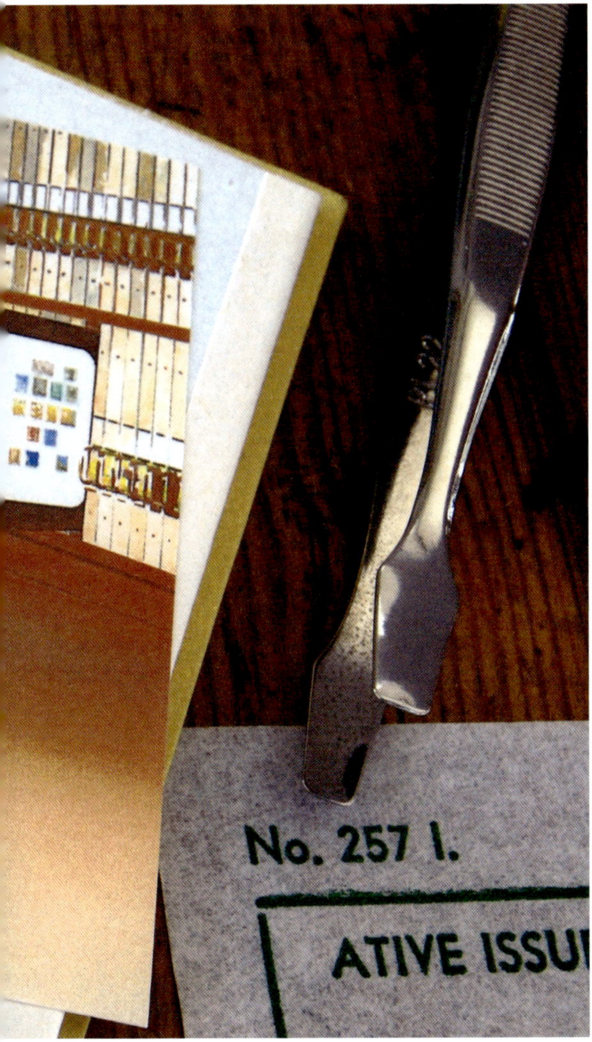

1 ハンガリー共和国「切手の日」、1995。1/3 枚組。スーベニア・シート。ハンガリーの正式国名はハンガリー語で「マジャル・ケスタールシャシャーグ」、切手に表記されているのは通称の「マジャオルサーグ」です。切手の展示キャビネットがこうしたスライド式の独特なものであることをこの切手で知りました。東京・大手町の逓信総合博物館の切手展示室のキャビネットもこの形式です。それにつけても少年たちの後ろの紳士がなんだかアヤシイような気がしないでもない…などなど、ディテールがおもしろくって見入ってしまうシートです。

壁一面の切手棚に惹かれてしまうキャビネット好きの人におすすめなのは映画『Dear フランキー』(2004)。「パパと一緒に暮らせないのは ACCRA 号の船乗りだから」と 9 歳の息子フランキーに説明しているリジー。ほんとうは暴力を振るう夫から逃がれてスコットランド中を転々としているのだけれど、つらい真実を子どもに話せずにいるのです。

フランキーは耳が聴こえないけれど、ママとおばあちゃんを思う賢くて優しい子。顔を知らない父を慕うフランキーのために、父親のふりをして息子に手紙を送り続けるリジー。切手商の店で外国の切手を買い、天井まで届く切手棚の前で手紙を書くシーンがあります。大きな世界地図を壁に貼って、船の航路に赤い旗をたて、「ACCRA 号」と題した切手帖に送られてきた切手を貼り込むフランキー。…ところがその ACCRA 号が偶然にも港に寄港することになり、困ったリジーは一日だけ父親を演じてくれる男を探し…。リジーとフランキー、父親役をひきうけた朴訥な男、祖母や友人たち。荒削りだけれど健気な登場人物たちが、相手を思いやりながら、不器用に心を通わせてゆく様が、グラスゴーの港街を舞台に淡々と描かれていく映画です。

プロローグ

切手の切手

STAMP COLLECTING USA • AMERIPEX 86
The International Stamp Show at Chicago May 22 – June 1, 1986, will admit the bearer of this booklet cover free of charge.
Eight 22 cent stamps—$1.76
1
STOCKHOLMIA86
2kr SVERIGE
3kr SVERIGE
STAMP COLLECTING
USA22
3
MONACO
SCOLATEX MONACO
POSTES
0,50
SCOLATEX
UNESCO
LE TIMBRE INSTRUIT
12-12-63

「切手の日」や切手展には、切手蒐集の愉しみをデザインしたstamp on stampの切手が発行されます。小さな紙片を交換しにロンドン橋近くの裏通りに集まる「変人たち」が出現したのは1860年。1861年にはフランスのポティケが世界初の切手カタログを出版。蒐め、研究するという自負をこめた「フィラテリー（郵趣）」という言葉も誕生しました。

1 スウェーデン王国「国際切手展STOCK-HOLMIA86、ストックホルム」、1986、4枚組ブックレット。〈スウェーデンでもっとも有名なエラー切手のひとつ「トレティオ」〉〈切手原板を彫る凹版彫版師〉〈スウェーデン‐アメリカ合衆国交流史リーフ〉〈使用済み切手をはがす少年コレクター〉。

2 アメリカ合衆国「国際切手展AMERIPEX86、シカゴ」、1986、4枚組ブックレット。〈アメリカ郵趣協会100年＆スミソニアン博物館のナショナル・スタンプ・コレクション100年〉〈子ども切手蒐集家〉〈スウェーデン‐アメリカ合衆国交流史リーフ〉〈AMERIPEX86記念「アメリカの大統領」シート〉。スウェーデンとアメリカの郵趣協会が共に100周年を迎えた1986年、両国が発行した記念ブックレットには、二国の交流史を扱った「リーフ」をモチーフにした共同発行切手が含まれています。こうした国際切手展は単なる切手の即売会ではなく、郵趣家たちがテーマを決めて選んだ切手を貼り込み、研究成果をまとめる「リーフ」の発表の場でもあるのでした。

3 モナコ公国「切手展示会SCOLATEX、モンテカルロ」FDC、1963。切手は凹版、封筒はバーコ印刷、消印も凝っています。

4 蘭領アンティル「キュラソー島郵趣家協会50年」、1989、3/3枚組。〈キュラソー切手と蘭領アンティル切手〉〈切手の下絵と切手を挿んだピンセット〉〈フクロウ、切手帖、ピンセット〉。キュラソー島はオレンジ・キュラソーの発祥の地。蘭領アンティルについてはp.48。

5 インド共和国「切手展示会INPEX、ニューデリー」、1970、1/2枚組。

6 アルゼンチン共和国「国際子ども郵趣年」、1974。切手の裏面を凝視する少年コレクター。透かしの確認？ 通すぎる。

7 ポーランド「ポーランド郵趣活動75年」、1968、1/2枚組。三角帽子。

ファースト・デイ・カバー（FDC）

切手を封筒に貼り、郵便局で発行日（初日）の消印を押してもらったものがFDC。1920年代にアメリカで流行して世界にひろまったコレクターズ・アイテムで、後に初日用の特別な消印（記念印）や、それぞれの切手の図柄にあわせたカシェ（イラスト）入りの封筒が用意されるようになりました。

4

1 オランダ王国「子どもたちのために／童謡」FDC、1967。〈ハリネズミの子守唄〉〈笛吹きやかん〉〈ディケルチェ・ダップ〉〈きれいなお花〉〈クマのピッベルンチェ〉。「彼女の本のない子供部屋はない」と言われたオランダの国民的児童文学者アニー・M・G・シュミット（1911-1995）の子ども向けの詩集にメロディをつけた童謡から。消印が音符です。

2 オランダ「子どもたちのために／子どもと芸術」FDC、1964。〈木馬を作る〉〈赤ずきんちゃんのお芝居〉〈たて笛の練習〉〈バレエ〉〈らくがき〉。この1枚がきっかけで、オランダFDCにはまってしまいました。

3 オランダ「子どもたちのために」FDC、1962。〈自転車に乗って〉〈花に水を〉〈にわとりにえさ〉〈音楽演奏〉〈料理する子どもたち〉。単色刷でよくここまで表現できるなあと見とれてしまう切手。カシェの縞シャツ少年も秀逸。独特の陰影に、子どものころ読んだ『銀のスケート靴』を思い出しました。貧しいけれどあたたかい家庭に育つ兄妹のビルドゥングス・ロマンです。嵐の夜、決壊しそうな運河の堤防の穴に自分の腕を差し込んで街を守る少年のエピソードに戦慄。

4 オランダ「子どもたちのために／わらべ歌」FDC、1963。〈ガチョウにのったナンおばさん〉〈ハーグの伯爵〉〈わたしは人形の家の末っ子〉〈コウノトリ〉〈乳母車に乗って〉。

オランダが1924年から毎年発行している児童福祉のための寄付金付きセット組切手「子どもたちのために」。明るく洗練されたデザインが展開されていて、子どもをバックアップしようという社会の確固たる姿勢が感じられます。

北欧の凹版切手

SVERIGE 2,10
SVERIGE
Carl Hårleman
2,10
SVERIGE
2,10
2,10
SVERIGE
1
Vattenmærke
2,50
SVERIGE
SVERIGE
2,50
EL PAIS
DIE ZEIT
SVERIGE
MASSA
2
SVERIGE
T H MORGAN
NOBELPRIS 1933
3,60
SVERIGE
F H C CRICK
J D WATSON
M H F WILKINS
NOBELPRIS 1962
3,60
SVERIGE
W ARBER
D NATHANS
H O SMITH
NOBELPRIS 1978
3,60
SVERIGE
B McCLINTOCK
NOBELPRIS 1983
3,60
3

スウェーデン切手の特徴は、ビュランという専用の彫刻刀をもちい原寸大で彫版してゆく静謐・精緻な凹版印刷です。1960 年代からグラビア印刷に切り替えた国が多いなかで、長く凹版印刷の伝統を守り、チェスラフ・スラニアをはじめとする伝説的な彫版師を輩出しました。国名表記は Sverige（スヴェーリエ）。スヴェーア族の国という意味です。

4

1「植物園」、1987、4 枚組ブックレット。〈ストックホルム大学ベリェアン園の亜熱帯植物〉〈庭園建築家ホーエマンとウプサラ宮廷庭園〉〈イェーテボリ植物園の石の庭〉〈ルンド大学植物園のユリノキ〉。大植物学者リンネは後半生をウプサラ大学の教授として過ごし、「使徒」と呼ばれた彼の弟子たちや、箔付けを求める植物学者たちが、世界中からプラント・ハンティングの成果をリンネのもとに送ってきました。

2「製紙業」、1990、4 枚組ブックレット。〈17 世紀の製紙作業〉〈切手の透かし〉〈スウェーデン製の紙に印刷された海外の新聞〉〈現在の印刷機械〉。スラニア彫版。

3「ノーベル物理賞・医学賞」、1989、4 枚組ブックレット。〈モーガン／ショウジョウバエの遺伝学研究〉〈クリックほか／ DNA 二重螺旋モデル〉〈アルバーほか／制限酵素の発見と分子遺伝学への応用〉〈マクリントック／可動遺伝要素トランスポリンの発見〉。成し遂げた仕事がスウェーデンの美しい凹版切手に残るなんて、王様主催の晩餐会出席よりスゴイことに思えます。

4 スウェーデン郵政発行イヤー・ブック、1989。スウェーデン切手の発行形式はふたつあって、ひとつは持ち運びしやすい冊子形式の「ブックレット」。その表紙絵の図案には、ややラフな木版印刷っぽい雰囲気のものが採用されていて、切手本体の銅版画的に精緻な図柄とはかなり落差があり、これもまたスウェーデン切手蒐めの愉しみになっています。もうひとつの発行形式「コイル切手（一列のロール状につくられた切手。二辺に目打がない）」を表紙にしているのはスウェーデン郵政発行のイヤー・ブック、1989 年版。その年発行された切手 1 枚ずつと、図柄の説明や FDC の初日印などが掲載された小冊子が納められていて、デザイン・印刷技術のみならず発行政策においても先進国と賞されるスウェーデン切手の端正なたたずまいが堪能できます。

1
2
3
4
5
6a
7
6b
8
9
10
11

超絶ビュラン スウェーデン王国

1「雲と気象」、1990、4/4 枚組。〈積雲〉〈かぎ状雲〉〈積乱雲〉〈高積雲〉。

2「リンネ歿後 200 年」、1978、1/6 枚組。〈博物学者リンネ〉。スラニア彫版。

3「世界気象機関（WMO）100 年」、1973、2/2 枚組。〈観測者〉〈スカンジナビア上空の衛星写真〉。気象観測業務の国際的な調整を行う国連の機関。

4「普通切手」、1968、1/2 枚組。〈ダルスランド運河〉。船が山の中腹の運河を上り下りする不思議な光景。

5「普通切手」、1971、1/2 枚組。〈1568 年の古地図〉。スラニア彫版。

6a-d「普通切手」、1983、4/4 枚組。〈リンボク〉〈イヌバラ〉〈クリ〉〈カエデ〉。

7「詩人アンデルソン生誕 100 年」、1988、2/2 枚組。〈ダン・アンデルソン〉〈故郷フィンマルク地方〉。スラニア彫版。

8「珍しい淡水魚」、1991、3/6 枚組。〈水辺に咲く花と淡水魚〉〈ドジョウ〉〈ハゼ〉。

9「水鳥」、1986、1/3 枚組。〈チュウシャクシギ〉。

10「普通切手」、1975、1/3 枚組。〈ハリネズミ〉。

11「世界のなかのスウェーデン」、1981、1/6 枚組。〈海上石油掘削機〉。

12「グリプスホルム城所蔵の絵画」、1987、1/4 枚組。〈青い虎／カール 5 世の愛馬〉。

13ab「ヨーロッパ切手／郵便の歴史」、1979、2/2 枚組。〈モールス信号機〉〈冬のボスニア湾を横断する郵便船〉。

14「万国郵便連合（UPU）100 年」、1974、1/3 枚組。〈ラップランドの郵便配達夫〉。北方の郵便配達人を描いた 13b と 14、妙に心惹かれるものがあります。

15「普通切手／郵便バス」、1973、1/2 枚組。〈ラップランドの郵便バス〉。

16「普通切手」、1973、1/5 枚組。〈ヤナギの並木〉。

17「普通切手・数字図案」、1951-65。

18「普通切手」、1974、1/2 枚組。〈ラップランドの滝〉。

1

1「クリスマス切手／民族衣装」、1979、2/6 枚組。〈イエインゲの民族衣装〉〈ムーラの民族衣装〉。ムーラは、スウェーデンの昔ながらの姿を色濃く残して「スウェーデンの心の故郷」と呼ばれるダーラナ地方のそのまた中心部に位置する町で、白樺の樹皮を使った気密性の高い箱作りや織物の盛んな町だそうです。このすばらしく暖かそうな民族衣装！ 高張り感？と布の質感が魅力です。

2「普通切手／工芸」、1979。〈1860 年頃の織物の壁掛け〉。タペストリー、ラグなどの織物は、スウェーデンの人々が大事にする居心地よい室内に欠かせないものですが、その特徴は、他国のように教会や宮廷を飾るために発達したのではなく、農民たちの日常生活のなかで生産され用いられてきたというところにあります。19 世紀後半に、地方ごとに異なるデザインや技法を保存・継承し、発展させていこうという運動がおこって、女性たちが主体となったハンドアルベーデッツ・ヴェンネル（テキスタイル・アート友交協会）をはじめとしたいくつもの組織が設立されました。このスウェーデン版アーツ・アンド・クラフツ運動が築いた素地が、20 世紀のテキスタイル産業の発展や、アーティスティックな織物作品の成立を準備したのです。

2

3「手工芸品」、1998、4/4 枚組。〈シュオーネンの錬鉄の燭台〉〈ロヴィッカ・ミトン〉〈曲げ木細工の箱〉〈ダーラナ地方の民族衣装の前掛け〉。ロヴィッカ・ミトンはスウェーデン最北部ノールボッテン地方ロヴィッカの工芸品で、編み始めたのはエリカ・アイタマという女性。1892 年のある日、彼女のもとにひとりの木こりがやってきて、丈夫で長持ちするミトンを編んでほしいと羊毛をおいていったそうな。エリカは何シーズンももつよう丈夫に編んだのに、取りにきた木こりは気に入らなくて「せっかくの羊毛をだめにした」と文句まで。エリカはミトンを取り返し、縮めて自分で使おうと、ゴシゴシ洗ったのでした（カッとしたのかなあ）。するとミトンはフェルト化して水をはじくようになり、ますます丈夫に。欲しがる人がたくさん出てきて、ロヴィッカ・ミトンとして有名になったのでした。…右の写真はエリカの住んでいた小さな家。3、4m はありそうなミトン記念碑？がある！ 腕自慢の女性たちが力を合わせ、ほんもののロヴィッカ・ヤーンで編んだそうです。スゴイ。photo: Solveig Larsson

3

フォークアート切手
スウェーデン王国

4

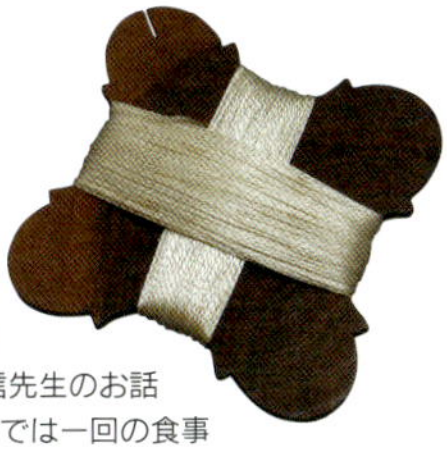

4 ナプキン・ホルダー。 島崎信先生のお話によると、北欧では一回の食事ごとにナプキンを洗うことはしないので、ホルダーは誰のナプキンかの目印にもなっているのだそうです。民族衣装のディテールがその役目をはたしていたのでした。お嬢さん方、働き者！

5「クリスマス切手／おもちゃ」、1978、1/6 枚。〈テディ・ベア〉。

5

7

6

8

6「普通切手／ニルスの冒険」、1971。〈ガチョウにのったニルス〉（スラニア彫版）とそのブックレット表紙。
7「キノコ」、1996、4 枚組のブックレット表紙。
8 左頁「手工芸品」のブックレット表紙。

＊象牙や木の糸巻は欧州のものです

Danmark 90
Danmark 30
50 Danmark
60 Danmark
1
1167 KØBENHAVN 1967 80
1167 KØBENHAVN 1967 50
1167 KØBENHAVN 1967 40
DANMARK
2
5
DANMARK 100+20 medMenneske 76
DANMARK 130+20 medMenneske 76
3
KUNSTINDUSTRIMUSEET 100 ÅR
DANMARK 3.50
4
Jacob Gade 1879 1979
A. BOURNONVILLE 1805-1879
DANMARK · 1.60
6
DET JYDSKE HAVESELSKAB 1873 1973
DANMARK 70
DET JYDSKE HAVESELSKAB 1873 1973
DANMARK 60
7
1.50
TRUET FLORA
DANMARK
1.00
TRUET FLORA
DANMARK
8
DANMARK 70 ØRE
DANMARK 25 ØRE ØRE
9
10 KR. KGL.POST DANMARK
KR. 25 KGL.POST DANMARK
6 KR. KGL.POST DANMARK
10
4.10 KR. KGL.POST DANMARK
FNs KVINDEKONFERENCE 1980
DANMARK 1.60
11
1.80
DANMARK
12
DANMARK 125 ØRE ØRE POSTFRIMÆRKE

モノクローム半世紀 デンマーク王国

1「デンマークの工業」、1968、4/4 枚組。
2「コペンハーゲン 800 年」、1967、3/4 枚組。〈近代住宅建築発展〉〈富と信仰：救世主教会の尖塔と市民の住宅〉〈都市の名の由来：銀行（ケベン＝買う）＋船（ハウン＝港）〉。
3「赤十字社 100 年」、1976。2/2 枚組。
4「工芸美術博物館 100 年」、1990。
5「タンゴ〈ジェラシー〉の作曲家ヤコブ・ゲーゼ生誕 100 年」、1979。
6「舞踏家・振付家オーギュスト・ブルノンヴィル歿後 100 年」、1979。
7「ユトランド造園協会 100 年」、1973、2/2 枚組。〈薔薇「デンマークの女王」〉〈シャクナゲ〉。
8「稀少植物」、1977。2/2 枚組。〈センキュウ〉〈キンバイソウ〉。
9「普通切手／波線」。1933 年以来半世紀以上変わらぬデザインの普通切手。
10「普通切手／紋章」。1946 年より。
11「国連・婦人の 10 年間世界会議デンマーク会議」、1980。
12「北欧郵便連合切手／工芸美術」、1980、1/2 枚組。〈司教冠をかたどったスープ鉢〉。
13「国際海洋探査協議会 (ICES)」、1964。
14「工場労働者災害防止法 100 年」、1973。
15「国際電気通信連合 (ITU)100 年」、1965。
16「欧州自由貿易連合 (EFTA) 加盟国間の貿易障壁撤廃」、1967。
17「切手の日」、1964。透かしが図柄に。
18「エルステッド電磁気発見 150 年」、1970。
19「チボリ公園創立者、ゲオ・カーステンセン生誕 150 年」、1962。
20「手仕事」、1977、2/3 組。〈こて、漆喰刷毛、ツォル尺〉〈金梃子、直角規、かんな〉。

　スウェーデン以上に堅実なのがデンマーク郵政。1983 年までほとんどの切手が凹版単色刷りで、年間発行数も 20 種前後（ソ連は 100 種前後！）。スラニア（**1**・**2**・**7**・**11**・**13**・**14**・**15**・**17**・**18**）など優れた彫版師を起用し、落ち着いた世界を形づくっていました。

切手のなかの北欧スタイル

島崎 信

1

スウェーデン、デンマークの切手には、左端にデザイナーの名前、右端に彫版師（凹版の原板を彫る職人）の名前が記されています。これを見てわたしは、北欧のプロダクトに対する精神がこんなところにも顕われているなあと感心しました。下の極めて精緻な船の切手は、不世出の天才と謳われた凹版彫版師チェスラフ・スラニア（1921-2005）の作品ですが、このスラニアという人はポーランド人で、スウェーデン郵政にポストを得てからめきめきと腕をあげ、世界中の国々に請われて彫版し、多くの傑作を遺した人です。切手の凹版は原寸で彫るのでたいへんな技術を必要とするのですが、スウェーデン郵政は、彫版職人を養成し大切に扱っているということが、名前を記すという姿勢からもよくわかります。

2

それと同時に、優れたプロダクト・デザインというものは、デザイナーと職人の、フィフティー・フィフティーの真剣勝負によって成し遂げられるものだという北欧デザインを支える根源的な確信が伝わってきます。

わたしは1958年にデザインを学ぼうとデンマークに留学しました。当時のデンマーク王立芸術アカデミーの建築科は、アルネ・ヤコブセンやオーレ・ヴァンシア、ポール・ケ

3

1 スラニア彫版・国際連合「郵趣 50 年（ウィーン）」、1986、1/13 枚組。〈スラニア自画像〉。
2 スラニア彫版・フェロー諸島「羊」、1979。スラニアが 1995 年に選んだ「自選ベストテン」2 位の作。
3 スラニア彫版・スウェーデン「観光切手」、1979、1/6 枚組。〈観光船ユノー〉。「自選ベストテン」4 位。
4 スウェーデン「スラニア 1000 作目の切手」（2000）の FDC 消印に象られたビュラン（切手彫版用の特殊な彫刻刀）。
5 フランス「切手の日」初日カード、1966。ビュランほか、凹版彫版師の仕事道具が描かれている。

アホルムなど、北欧デザインの黄金期を築いたデザイナーたちが教鞭をとっている、今から見れば夢のような環境でした。彼らのなかにはマイスターとしての資格を持つ人も多いのです。留学直後に一番とまどい困ったのは、東京芸術大学の工芸科図案部を卒業したわたしが、まったく実作の経験がなく、カンナの持ち方も知らなかったことです。デザイナーは実作の技術をひととおり身につけており、職人もデザインをよく勉強していることが当たり前の北欧では、これは考えられないことで、ヴァンシアはすぐにわたしがインスティテュート・オブ・テクノロジーで週に一度、木工技術と塗装仕上げの特別授業を受けられるように取りはからってくれました。ウェグナーの「ザ・チェア」を製造していたヨハネス・ハンセン社の工房に出入りすることも許してもらい、多くのことを学びました。

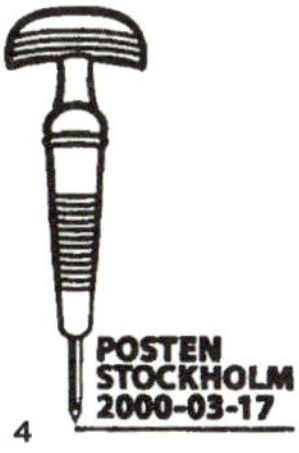

4

北欧のデザイナーと職人は、互いの仕事をよく理解しているからこそ、互いの実力をたちどころに見抜きます。素材や技術に対する理解をもたないデザイナーは職人に相手にされませんし、デザイナーを認めていない職人は実力以上のレヴェルの仕事をすることはできないのです。第二次世界大戦後、長く北欧のデザイン・プロダクトが集めた世界中の賛嘆は、北欧の産業界が、会社レヴェルでこうしたデザイナーと職人の協働作業をバックアップしてきたことの成果なのです。

スキーレース群像を彫った切手には、「1972 年、クリスマス・イブ」と、

6 クリスマス・イブにまで彫版の仕事をしている自分をぼやくような書き入れのあるゼッケンをつけたスラニアの自画像と、笑顔を浮かべて走る印刷局の同僚たちの姿が彫り込まれているそうですね。熱心だがユーモアのある職場の雰囲気が伝わってくるようです。

1960年代は切手の黄金期でもありますが、これは切手の世界だけに起こった現象ではなく、デザインの世界全般に起こった現象であるとわたしは見ています。1959年から1964年くらいまでが戦後デザインのピークだったと言っていい。第二次世界大戦中、デザイナーも職人もおおいに抑圧されていました。材料もないし、自分の個性を発揮する場所も自由もない。こんな物が作りたい、こんな物を人々の手に届け、使ってもらいたいというアイディアやプランが、苦しいほどに押さえつけられていたのです。そういうふうに個々の引き出しのなかにしまわれ、温められてきたものが、戦争が終わり、平和が訪れて、一斉に花開きました。ただし、一度破壊された環境にすぐに実りは訪れない。それが1945年の戦争終結とミッド・センチュリー・デザインの10数年のタイムラグでしょう。しかしその間もデザイナーや職人たちは、今度は希望をもって、アイディアを何度も見直し、考え尽くしていったのです。そして社会が安定を取り戻し、生産態勢が整い、消費者の財力もついてきたとき、ついにデザインの黄金期が訪れます。作り手の情熱がすごいですから、売る人、流通のひとたちも突き動かされます。広告マンもメディアも商店も「やっとこんな物が扱えるようになったんだ！」という喜びに充ちて良い仕事をしますから、売れない訳がない。

シャンソン歌手のジュリエット・グレコが言っています。「みんな貧乏だったけれど、わたしたちは共通の夢を持って、明るかった」。物を作ること、売ること、使うこと、そのすべてに喜びと心意気のみちた時代だったのです。そのことが今もって、観る者にある種の感動をもたらすのではないでしょうか。

1980年代になると、世界、ことに資本主義社会は大変に豊かな時代を迎えるわけですが、デザインの意味が変質してきます。ほんとうに良い物を届けるためのものだったデザインが、既に持っている物をさらに買わせるためのデザインにゆがめられてしまったのです。デザイナーも職人も、誰もが仕事に追われ、作った物が長く大切に使われるということもない、瞬間的に話題をさらうことだけが褒めそやされ、ただただ忙しいだけの毎日です。情熱を持てないまま仕事をしていくと、品質はガタッとおちてゆく。悲しいことですがこれが現状です。ただそういった世界的状況のなかでも、切手をはじめとする北欧のデザインがある水準をたもち続けているとすれば、それは北欧の人々の、使い手としての目の高さに理由があると考えられます。自然条件が厳しく、貧しさと外界の寒さから家の中で過ごす時間の長かった彼らは、選びぬいた物を長く使うという伝統があります。クオリティを評価する国民風土あってのデザイン力なのです。

こうして世界の切手を観ていると、20世紀後半の世界の大きな流れが見えてきてたいへん刺激的ですが、同時に、それぞれの国の動かしがたい個性が豊かに顕れています。それがデザインというものなのです。

グローバル（世界標準）であると同時にローカリティ（地域性）を生かすこと、わたしはこれを「グローカル」と呼んでいますが、それこそがデザインを再生させる道筋だと考えています。

7

8

6 スラニア彫版・スウェーデン「観光切手」、1973、1/5 枚組。〈ヴァーサロペット（ヴァサ・スキー・マラソン大会）〉。スラニアが仕掛けたジョーク。「イヴに自宅で最終作業をしていたが、レースの写真には参加者の顔がはっきり写ってなかった。だから自分と同僚の顔を彫ったのさ。家に写真があったからね」。
7 スウェーデン「普通切手／いろいろなゲーム」、1985、3/6 枚組。〈ドミノ〉〈キツネとガチョウ〉〈ルド〉。
8 スウェーデン「クリスマス切手」、1977、3/6 枚組。〈クッキーを焼く子どもたち〉〈樅の木をはこぶ〉〈小鳥用のポールを立てるお父さん〉。クッキーを焼くお姉ちゃんの縞の服や留められた前髪が愛らしい。

チェコ、フランスの凹版切手

チェコスロバキア、フランスもまた美しい凹版切手を発行し続けた国です。モナコ公国やラオス王国の凹版切手は、パリのフランス国立印刷局（1994年民営化）で印刷されています。使用している紙質や描線の雰囲気など、同じ凹版切手でも国ごとに異なった趣きがあります。

4

1 「ユネスコ」、1963、4/6枚組。〈ボヘミアのガラス絵〉〈スロバキアの壁絵〉〈スロバキアの水差し〉〈彩色こけし人形〉。チェコの装飾芸術の華やかな色彩感覚の源を見せてくれるセット。

2 「切り紙細工」、1980、4/5枚組。国内外で人気の高いコルネリエ・ニェメチコヴァーの切り紙細工スタイルのイラスト切手。チェコのフォークロアを取り入れながら人生の喜びを生き生きと描く作家で、絵本やTVで活躍。その作品は何度も切手になっています。切り紙絵は、カレル・ゼマンやイジー・トゥルンカといったチェコ・アニメの巨匠たちが愛した技法でもあります。

3 「マリオネット」、1961、4/5枚組。〈スベイブルとフルビィネク〉噛み合わない会話が笑いを誘う、父スベイブル＆息子フルビィネクのコンビはチェコ現代人形劇の父とされるヨゼフ・スクパによって世界大戦前に生み出された、今でも人気のキャラクター。この切手の頃はまだかなりグロテスクな姿をしていますが、1964年からやや可愛らしい姿に。〈第10回フルジム人形フェスティバル〉人形博物館のある街フルジムで毎年開かれるアマチュアの人形劇フェスティバルです。〈アシュケナージの人形芝居「お月さまと大騒ぎ」の一場面〉〈ブルノの街の棒遣い人形のキャラクター、ヤサーネク〉。

4 「スメタナ〈売られた花嫁〉初演100年」、1966、インパーフ（無目打）のスーベニア・シート。チェコ語で書かれたこのオペラの初演成功によって、スメタナは建設中のプラハ国民劇場の仮劇場の指揮者に迎えられ、完成時のこけら落としを飾る国民的作曲家ともなりました。長くハプスブルク家の支配下にあって、文化のドイツ化を強いられてきたチェコ国民の民族意識にとって、チェコ人の俳優がチェコ語で演じることが公けに許される国民劇場の建設は悲願であり、劇場は国民の寄付によって成し遂げられた事業でした。

1

československo
60 h
SKLO
LE VERRE
GLASS
expo67
montréal

československo
1.20 kčs
KERAMIKA
L'ART CERAMIQUE
CERAMIC ART
expo67
montréal

československo
80 h
SVĚT POHÁDEK
LE MONDE FEERIQUE
FAIRYTALES
expo67
montréal

2

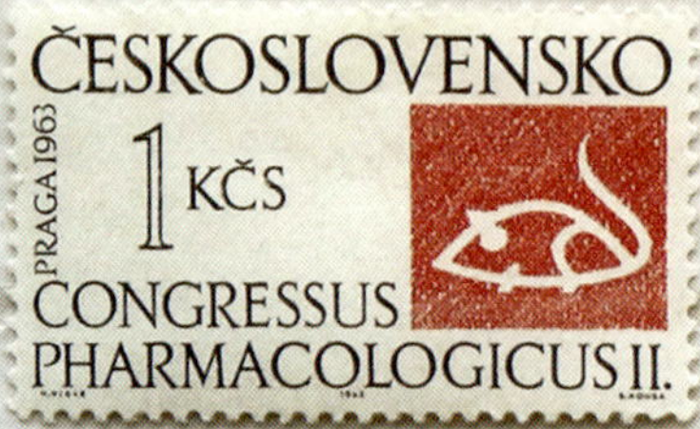
ČESKOSLOVENSKO
PRAGA 1963
1 KČS
CONGRESSUS
PHARMACOLOGICUS II.

ČESKOSLOVENSKO
h60
KARLOVY VARY 1964
XIV. MEZINÁRODNÍ FILMOVÝ FESTIVAL

3

ČESKOSLOVENSKO
2 Kčs
50. VÝROČÍ ZALOŽENÍ
KUŽELKÁŘSKÉHO SVAZU V ČSSR 1987

4

ČESKOSLOVENSKO
ZBIGNIEW RYCHLICKI
·PER·
1 Kčs

5

6

Československo 1Kčs
Hýl obecný
Pyrrhula pyrrhula L.
K. Svolinský - L. Jirka
Československo 30 h
Modřinka obecná středoevropská
Parus caeruleus caeruleus L.
K. Svolinský - L. Jirka
Československo 60 h
Žluva obecná evropská
Oriolus oriolus oriolus L.
K. Svolinský - L. Jirka
Československo 40 h
Brhlík obecný středoevropský
Sitta europea caesia Wolf
K. Svolinský
L. Jirka
Československo 1.20 Kčs
Ledňáček obecný
Alcedo atthis L.
Československo 80 h
Stehlík obecný evr.
Carduelis carduelis c. L.

チェコスロバキア共和国

7

8

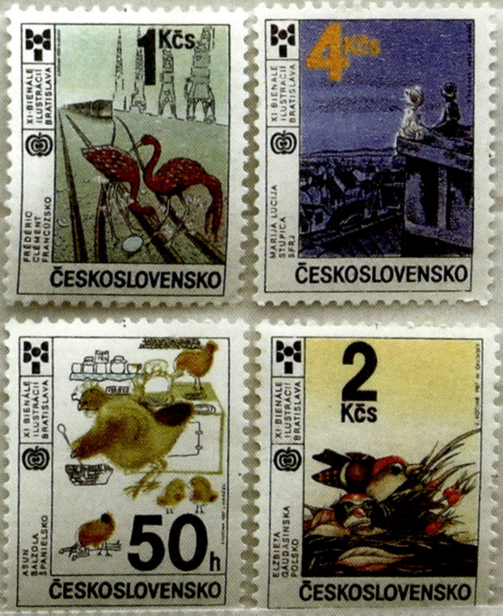

1「エキスポ 67、モントリオール万国博覧会」、1967、3/6 枚組。〈現代ガラス作家レネー·ロウビーチェクの作品〉〈チェコの国旗の色、赤・青・白で彩られた現代セラミック作家ブラヴォスラフ・ラダの作品〉〈イジー・トゥルンカが描いたアンデルセン童話「羊飼いの娘と煙突掃除」への挿絵〉。万博への出品作。

2「薬理学会議」、1963。

3「カルロヴィ・ヴァリ国際映画祭」、1964。東ヨーロッパ最大規模で歴史ある国際映画祭。開催地のカルロヴィ・ヴァリはボヘミア地方の温泉地でドイツ名のカールスバードでも知られています。

4「チェコスロバキア・スポーツ・ボーリング協会 50 年」、1987。ヨーロッパではボーリング切手が結構出ています。

5「ブラティスラヴァ世界絵本原画展」、1983、1/4 枚組。〈ズビグニェフ・リフリツキ（ポーランド）画、R・L・グリーン『アーサー王物語』〉。スロバキアの首都で開かれるビエンナーレ。絵本全体ではなく、原画のみを対象として審査することが絵本作家に対する正しいアプローチなのだろうかという意見もありますが、活動国の出版事情や印刷事情に左右されずに才能を評価する場をつくってきたという功績も。

6「小鳥」、1959、6/7 枚。〈ウソ〉〈アオガラ〉〈コウライウグイス〉〈ゴジュウガラ〉〈カワセミ〉〈ゴシキヒワ〉。巧みな描線、ラフな書き文字が魅力的です。

7「プラハ国際切手展Ⅳ」、1962、4/4 枚組。チェコの切手は嵩高で柔らかい紙に刷られていますが、この凹版切手は、まさに1枚1枚が版画な印刷物という驚異の仕上がり。

8「ブラティスラヴァ世界絵本原画展」、1987、4/4 枚組。〈フレデリック・クレマン／フランス〉〈マリア・ルチア・ストゥピカ／ユーゴスラビア〉〈アスン・バルソラ／スペイン〉〈エルジビュタ・ゴーダシンスカ／ポーランド〉。

1a

ČESKOSLOVENSKO
15 h
ANTHOCHARIS CARDAMINES L.
BĚLÁSEK ŘEŘICHOVÝ
M. ŠVABINSKÝ PINX.
JINDRA S. SC.
ČESKOSLOVENSKO
20 h
ZERYNTHIA HYPSIPYLE SCH.
PESTROKŘÍDLEC PODRAŽCOVÝ
M. ŠVABINSKÝ PINX.
JINDRA S. SC.
ČESKOSLOVENSKO
30 h
PARNASSIUS APOLLO L.
JASOŇ ČERVENOOKÝ
JINDRA S. SC.
ČESKOSLOVENSKO
80 h
NYMPHALIS ANTIOPA L.
BABOČKA OSIKOVÁ
JINDRA S. SC.
ČESKOSLOVENSKO
160
Kčs
VANESSA ATALANTA L.
BABOČKA ADMIRÁL
M. ŠVABINSKÝ PINX.
JINDRA S. SC.
ČESKOSLOVENSKO
1 Kčs
CATOCALA FRAXINI L.
STUŽKONOSKA JASANOVÁ
M. ŠVABINSKÝ PINX.
JINDRA S. SC.

2

ČESKOSLOVENSKO
h 20
Repa cukrová
Beta vulgaris L.
ČESKOSLOVENSKO
30 h
Trifolium pratense L.
ČESKOSLOVENSKO
40 h
Pšenice obecná
Triticum aestivum Vill.
ČESKOSLOVENSKO
h 60
Humulus
lupulus L.
Chmel
ČESKOSLOVENSKO
1 40
Kčs
Zea mays L.
Kukuřice setá
ČESKOSLOVENSKO
Kčs 2
Brambor
Solanum tuberosum L.

チェコスロバキア共和国

1b

3

4

5

1ab「蝶」、1961、9/9 枚組。**a**〈クモマツキチョウ〉〈タイイスアゲハ〉〈アポロウスバシロチョウ〉〈キベリタテハ〉〈ヨーロッパアカタテハ〉〈ムラサキシタバ〉、**b**〈キアゲハ〉〈クジャクチョウ〉〈ヤマキチョウ〉。蝶はもちろん、背景の青空、雲の美しさ。

2「農業生産物」、1961、6/6 枚組。〈サトウダイコン、角砂糖、砂糖袋〉〈ムラサキツメクサとミツバチ、クローバーの種とルーペ、えさをはむウシ〉〈小麦、ケーキ、パンを並べた棚〉〈ホップ、ビール、ホップの包み〉〈トウモロコシ、ウシ、ミルク罐〉〈ジャガイモの花、ジャガイモ、皿とナイフ、ブランデー蒸留所〉。博物図譜のような農産品タブロー。

3「プラハ国際切手展 V」、1962、1/5 枚組。〈踊る子どもたち〉。この切手あたりからチェコ切手の雰囲気に少し変化が起こります。線が生硬くなり、理知的・装飾的に。それはそれでかっこいいのだけれど、1959-62 年の、のびやかで豊かな雰囲気に得がたいものが。

4「観光」、1964、2/4 枚。〈チェスキー・クルムロフ（ドイツ名クルマウ）〉〈スピシュスキー城〉。クルムロフは街全体が中世からバロックの名残を色濃く残す歴史的遺産。時が止まっているかのように見えて、ハプスブルグ支配、ナチス・ドイツのズデーテン地方併合、大戦後のドイツ系住民追放と、ボヘミアの苛烈な歴史を秘めています。スピシュスキー城は中央ヨーロッパ最大級の城跡。双方ユネスコ世界遺産。

5「蝶」、1966、2/6 枚組。〈ヒトリガ〉〈シタベニヒトリ〉。1961 年のセットには 1 種、1966 年のセットには 2 種、蛾が含まれています。分類的には蝶と蛾を分けるべき差異はなく、区別するかしないかは文化の問題だとか。ちなみにフランス語もドイツ語も 1 語「パピヨン」「ファルター」があるだけで、「蛾」「蝶」を分けて指す個別の単語はありません。

AEROPORT DE PARIS · ORLY
FRANÇAIS
0,50
POSTES
1
CHATEAU DE VILLANDRY
RÉPUBLIQUE FRANÇAISE
POSTES
18f
2
REPUBLIQUE FRANÇAISE
40F
POSTES
PORCELAINE ET CRISTAUX
REPUBLIQUE FRANÇAISE
75F
POSTES
FLEURS ET PARFUMS
REPUBLIQUE FRANÇAISE
POSTES
30F
EDITION ET RELIURE
REPUBLIQUE FRANÇAISE
POSTES
50F
JOAILLERIE ET ORFÈVRERIE
3
6
REPUBLIQUE FRANÇAISE
POSTES 1984
1,14
AFFRANCHts POSTES
REPUBLIQUE FRANÇAISE
POSTES
0,25
+0,10
REPUBLIQUE FRANÇAISE
POSTES
0,20
+0,10
ROSALIE
REPUBLIQUE FRANÇAISE
POSTES
REPUBLIQUE FRANÇAISE
POSTES 1984
3,95
AFFRANCHts POSTES
4
5
FRANCE
POSTES
0,80+0,20
AUTOMNE
FRANCE
0,60+0,15
POSTES
PRINTEMPS
REPUBLIQUE FRANÇAISE
0,80+0,15
POSTES
HIVER
REPUBLIQUE FRANÇAISE
0,60+0,15
POSTES
ETE
7
8

フランス共和国
モナコ公国

1 フランス（以下 F）「オルリー空港新棟完成」、1961。3 本のフラッドライトが不思議な雰囲気を作りだしている空港切手。

2 F「観光切手／ヴィランドリー城」、1954。マニエリスム王フランソワ1世の大蔵大臣ブルトンが 16 世紀に建てた城で、幾何学模様のイタリア式庭園で有名。

3 F「高級工芸品」、1954。4/5 枚組。〈陶磁器、クリスタルガラス、ルーブル宮殿〉〈花、香水、オペラ座〉〈本、アカデミー・フランセーズ〉〈宝石、金銀細工、マドレーヌ教会〉。緞帳、建築物、宝物…と 18 世紀のコレクションお披露目静物画の構図が生きています。フランスのシンボル「マリアンヌ」切手も手がけた名匠ピエール・ギャンドンのデザイン＆彫版作品。

4 F「赤十字切手」、1962、2/2 枚組。〈フラゴナール画／ピエロ姿の子ども〉〈フラゴナール画／ロザリ・フラゴナール〉。フランスの児童福祉切手が赤十字切手。

5 F「ドール山」、1961。中南部の観光地。

6 F「プリキャンセル切手／トランプ」、1984、2/4 枚組。最初から消印（キャンセル）が印刷してある切手。

7 F「赤十字切手」、1975、2/2 枚組。〈秋の情景・動物たち〉〈春の情景・少女〉。

8 F「赤十字切手」、1974、2/2 枚組。〈冬の情景・子どもと猫〉〈夏の情景／海辺の子ども〉。

9 モナコ（以下 M）「オリンピック／夏期ローマ・冬季スコーバレー」、1960、1/6 枚組。〈アイススケート〉。スポーツ切手さえ優雅。

10 M「ヨーロッパ切手」、1967。

11a-c M「普通切手／紋章」、1954、3/7 枚組。

12 M「国連・子どもの権利宣言採択 4 周年」、1963、1/8 枚組。〈アルベール王子とカロリーヌ王女〉。

13 M「モナコ・グランプリ／歴代優勝車、1967、1/15 枚組。〈ブガッティ 1931〉。

14 M「ラリー・モンテカルロ／ストックホルム - モンテカルロ」、1961。

1

3a

4a

2

5

32 – 33

ラオス王国
（仏領インドシナ連邦）

4b

3b

1「パリ、ユネスコ・ビル落成」、1958、3/4 枚組。オリエンタル！
2「国際電気通信連盟（ITU）100 年」、1965、3/3 枚組。
3ab「ヴィエンチャン切手展」、1962、4/4 枚組。**a**〈地球を取り巻く切手の環〉 **b**〈郵便列車、トラック、飛行機〉〈象の郵便配達〉〈王の通信使〉。ゾウさん、手紙が落ちてます。
4ab「古代インドの叙事詩ラーマーヤナの舞踏劇」、1955、5/6 枚組。
5「民族音楽の演奏」、1957、1/6 枚組。

1949 年にフランス連合内の独立国にされたラオス王国の切手は、フランス国立印刷局で制作された精緻な凹版印刷。53 年に完全独立を果たした後も、75 年社会主義政権が樹立されるまでパリで印刷されました。

切手愛好家たちの賛辞を集めるのが、ここに掲げたジャン・フュルパン（1907-1991）がデザインと彫版を手がけた切手群。その下絵を描いた画家たちはというと、名前からしてラオスの人かもしれないシャムナン・プリサイアン（**1**・**3**）は天女が舞うなどオリエンタルなディテールが現代的に処理された作風です。

一方、マルク・ルゲ（**4**・**5**・**p.57-12**、1901-2001）は、24 歳の時インドシナに 3 ヵ月滞在する機会を得てベトナム、ラオスを巡り、その魅力にとりつかれてしまったフランス人です。3 ヵ月後、乗船するはずだったフランス帰還の船にその姿は無く、彼は生涯ラオスに留まったのでした。2 人目の妻ナン・サン・ヴァーヌは彼のミューズともなり、以来彼の絵にはラオスという国とその住人たちの安らかな魂が宿ったといいます（**5** で国民的楽器「ケーン」を吹く少年のモデルは息子ダニエル）。ルゲとパリの彫版師フュルパンは一度も顔を合わせたことは無かったけれど、最高のパートナーとして数々のラオス切手を制作。ルゲの名が刻まれた切手は 55 点残されています。

東欧の子どもたち

1960年代切手の魅力のひとつは、共産主義諸国の子ども切手の愛らしさ懐かしさにあります。これから豊かになっていこうとする社会が子どもたちに与えたいと望んださまざまなことが、いまだ質素な印刷技術をもちいて慎ましやかに、しかし力強く描かれています。

1 ブルガリア共和国（以下同）「民話」FDC、1963。〈オオカミと7匹の仔ヤギ〉〈頓知ペタルとホジャ・ナスレジン〉〈小麦のケーキ〉〈産まれない娘〉〈てぶくろ〉〈大きなかぶ〉。

2 「教職員会議」、1962。

3 「青年学生ワールド・フェスティバル、ヘルシンキ」、1962、2/2 枚組。青年学生ワールド・フェスティバルは、世界の若者たちが参加する国際的イベントで、第1回は1947年。主催者は、第2次世界大戦の終結後、「国籍・人種・信条を超えた深く誠実で国際的な友情を以て、地球上からファシズムを追放することを誓う」としてロンドンで結成された国連による若者の非政府組織、世界民主主義青年連盟（WFDY）。当初はイデオロギーと関係ないものでしたが、莫大な経費がかかるフェスティバルの開催地を引き受けたのが主に東側諸国だったこともあり、やがて共産主義プロパガンダの場になってしまい、西側諸国はWFDYからも脱退してしまいました。このような経緯から日本ではあまりなじみがありませんが、60年代の東欧・キューバの切手には青年学生フェスティバルの切手がたくさんあります。この切手のヘルシンキ大会は第8回。テーマは「平和と友情」でした。

4 「子ども読書週間」FDC、1969。絵本の挿絵とのことですが、賢そうな少年の読書を覗き込むトゲトゲくんとリスリス、おしゃれなワンピースにハイヒールのヒヨコーズ、人形劇のウサギとキツネ…ちょっとひねりがきいた図柄です。枠の模様も消印もキュート！

5 「子どもの世界」FDC、1966。〈未来の建築士〉〈ナイチンゲールの絵本を読むウサギとクマ〉〈宇宙旅行〉〈砂場で遊ぼう〉。懐かしい絵本の1ページのような、子どもへの愛情あふれるセット。宇宙に連れてくお人形や砂遊びのバケツなど、愛らしいディテールにみちています。

東欧の子どもたち +

たまに未使用シートが手に入ることがあります。シートには周囲に余白があり、これを耳紙(みみがみ)と言うのですが、ここに発行年月日、印刷所などの文字や、カラーマークが印刷されていておもしろい。1960年代はじめの切手が少ない色数で巧みにデザインされていることが、カラーマークから見えてきます。

3

1 ブルガリア「子どもの世界」〈砂場で遊ぼう〉（前ページ **5**）のフルシート。カラーマークというのは、印刷するときに色数や色調のミスがないかをチェックするための標識で、これを見ると、何色使っているか、どんな色のインクを使っているかがわかります。●がいくつか並んでいるというパターンが多く信号機のように見えるため、イギリスでは「トラフィック・ライツ」と呼ばれるそうですが、国ごとにいろいろな形があるのでヴァリエーションもおもしろく、例えばこの 1966 年発行のブルガリア切手のシートの場合、上辺にあるスモーキー・ピンク、青、黒の色の線がカラーマークになっています。…つまりこの切手は、3 色だけで刷っていたのでした。それでもう一度、前ページの 60 年代ブルガリア切手を見直すならば、そのほとんどが 3 色を巧みに使ってデザインされていることがわかります。…ただでさえ愛らしい切手が、またさらに愛しく見えてきてしまうのでありました。

2 「ウサギ車をひく女の子」。国・年代不明ですが、玩具と服の感じから 1960 年代前半？ おちびさんの満面の笑みとファインダーごしにむきあうパパ・ママの笑顔まで見えてくるような、ハッピーきわまりない子ども像です。

3 ユーゴスラビア連邦人民共和国「子ども週間」、1959、2/2 枚組。こちらは 2 色印刷。

切手を蒐めはじめてから、ブルガリアはすごく気になる国になってしまいました。それまでは、はずかしながらブルガリア＝ヨーグルト状態でしたが、1960 年代のブルガリア切手のグラフィックは、なかなか小粋で、それでいて朗らかで、何とも心惹かれるものがあります。国名表示はソ連とおなじくキリル文字です。

1

1 「幼年時代・子ども時代」、1963、3/4 枚組。〈ピオネール少年少女の休暇〉〈乳児と幼児〉〈遊ぶ子どもたち〉。乳児たちの遊ぶ螺旋型のサークルに、ロシア・アバンギャルドの代表的作家タトリンの、幻に終わった「第 3 インターナショナル記念塔」(1919-20、模型写真)を思い出してしまいました。上写真はソビエト連邦のグラフ雑誌『アガニョーク』から。少年組織ピオネールのネッカチーフ、短パン姿の男の子がふたりカメラの前で。キャプションは「カメラの自動シャッターがちゃんと動いたら、記念に残る素敵な写真が撮れるでしょう」(1960 年 42 号)。右はゴーカートで遊ぶ子ども。「運転免許試験の合格者たちの中に、オレグはいなかった」(1960 年 37 号)。

2 「世界こどもの日/子どもの図画」、1960、3/4 枚組。〈雪だるま遊び、スケート遊び〉〈家畜の世話〉〈動物園〉。国連は 1954 年、子どもたちの相互理解と福祉を増進させることを目的に「世界子どもの日」を制定し、全ての加盟国にその実施を勧告しました。日付は自由で、日本は 5 日 5 日としましたが、多くの国は 11 月 20 日に定めていて、国連もこの日に「児童の権利に関する宣言」(1959)や「児童の権利に関する条約」(1989)を採択しています。

2

東欧の子どもたち ソビエト社会主義共和国連邦

『アガニョーク（ともしび）』はソ連でもっとも古くから発行されているグラフ雑誌で、その創刊は革命前の 1899 年。ソ連邦成立の翌年、1923 年に再刊されました。ソビエト共産党のプロパガンダ満載の雑誌とはいえ、フルシチョフが指導者となった 1960 年代、その誌面に「労働者」でも「指導者を歓迎する民衆」でもない普通の人々の姿がたくさん登場するようになりました。ソ連独特の力強いカメラ・ワークがその日々を切り取っています。

切手のなかと同じく、新しい社会で大切にされ、生き生きと過ごす子どもたちの姿も人気テーマのひとつでした（1960 年 33 号、39 号、41 号）。

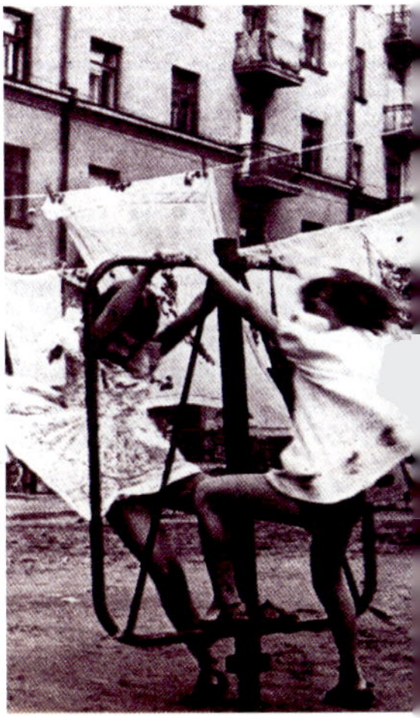

3

3「世界子どもの日」、1961、3/3 枚組。〈さまざまな活動にうちこむ子どもたち〉〈子どもと保母さん、幼稚園の子どもたち〉〈ラッパを吹く少年、植物を植える少女〉。背景にさまざまなシーンがコラージュされて、子どもたちの生活が立体的に描き出されています。よく見ると、写真あり、線画あり、シルエット画ありでかなり凝った図柄なのですが、2 色刷という制約を十全に活かしてお見事。ソ連は切手をプロパガンダ・ツールとして大いに活用し、質量ともに世界を圧倒する発行国でした。国名表記は略称の CCCP（エス・エス・エス・エール）。

1

1 ソ連のグラフ雑誌『アガニョーク』の表紙を飾った子どもたちのグラビア写真は、絵葉書にもされてソ連の人々を楽しませました。ここにあるのは 1970 年代初めの絵葉書で、着るものも洗練され、遊びも多様性を増しています。変わらないのは、はちきれんばかりの健康美？ で、みな思わずつつきたくなるようなほっぺの持ち主です。

50 年のスパンで切手を見ていて、デザインというものは意外と正直なものだなあと思いました。たとえプロパガンダや商業的宣伝であるにせよ、人々の夢や希望をになっていないイラストやデザインはオーラをまとい得ない。どこかの国の切手の質が、がくっと落ち、魅力を失う時、そこには必ずと言っていいほど、何らかの事件や社会の変動があります。だからこそ、切手のなかの子どもたちが愛らしさと幸福感にみちているとき、その時、その国の社会がいだいていた希望に、心うたれるのだという気がします。

東欧の子どもたち
ソ連邦
ユーゴスラビア連邦
人民共和国

4

3

2

2 ユーゴスラビア
「子ども週間」、1960、2/2 枚組。
3 ユーゴスラビア「子ども週間」、1963。
4 ユーゴスラビア「子ども週間」、1972。
ユーゴスラビアの切手は、どこかほの暗く硬質な雰囲気があって
それが魅力でもあるのですが、子ども切手にもその感じは少々でていて
面白い切手になってます。(子どもだっていろいろあるよね)。
それにつけても **2** の「ロケット＆ワンピース＆ウラン物質マーク」の
アナーキーさはスゴイ。
5 ソ連、クリスマスのオーナメント、1960 年代。
慎ましいけれど工夫が凝らされていて、ほろりときます。

5

1

ДИМИТРОВСКА ПИОНЕРСКА
ОРГАНИЗАЦИЯ „СЕПТЕМВРИЙЧЕ"
13 ST
N R BULGARIA
ДИМИТРОВСКА ПИОНЕРСКА
ОРГАНИЗАЦИЯ „СЕПТЕМВРИЙЧЕ"
8 ST
N R BULGARIA
ДИМИТРОВСКА ПИОНЕРСКА
ОРГАНИЗАЦИЯ „СЕПТЕМВРИЙЧЕ"
3 СТ
НРБЪЛГАРИЯ
ДИМИТРОВСКА ПИОНЕРСКА
ОРГАНИЗАЦИЯ „СЕПТЕМВРИЙЧЕ"
1 СТ
НРБЪЛГАРИЯ
ДИМИТРОВСКА ПИОНЕРСКА
ОРГАНИЗАЦИЯ „СЕПТЕМВРИЙЧЕ"
2 СТ
НРБЪЛГАРИЯ
ДИМИТРОВСКА ПИОНЕРСКА
ОРГАНИЗАЦИЯ „СЕПТЕМВРИЙЧЕ"
5 СТ
НРБЪЛГАРИЯ

2

POSTA
BANI
R·P·ROMINA 20
POSTA
BANI
R·P·ROMINA 30
POSTA
BANI
R·P·ROMINA 40

3

ČESKOSLOVENSKO
1949-1959
30h
ČESKOSLOVENSKO
1949-1959
40h
ČESKOSLOVENSKO
1949-1959
60h
ČESKOSLOVENSKO
1949-1959
80h

42 – 43

4

5

東欧の子どもたち ピオネール切手

1 ブルガリア「ブルガリアの児童組織、セプテンフリッシェ」、1965、6/6 枚組。〈かけっこ〉〈お芝居の上演〉〈ピオネール・キャンプのラッパ手 〉〈団員たち〉〈入団式〉〈飛行機模型〉。優しい筆致で描かれた子どもたちの情景。

2 ルーマニア人民共和国「子どもの世界」、1962、3/6 枚組。〈蝶と子ども〉〈鳩と少女〉〈おもちゃの帆船〉。蝶や小鳥、ヨットの玩具に子どもの心がとらえられた一瞬をヴィヴィッドに描き出したセット。2 色刷を巧みにもちいて感動的でさえ。

3 チェコスロバキア「ピオネール 10 年」、1959、4/4 枚組。〈人形劇〉〈休憩〉〈鉱石ラジオ〉〈苗木を植える〉。さすがチェコ切手はピオネールさえも文学的。

4 ルーマニア「ピオネール」、1968、4/6 枚組。〈無線機を使ってみよう〉〈模型を手に手に〉〈フォークダンス〉〈キャンプ場にて〉。初めて見たときかなり驚いた切手。君たちダイジョブか！ というほどテンション高いです。ルーマニア切手によく登場するデイジーの花がこれまた…。ルーマニアも切手でイメージ激変した国のひとつ。

5 ドイツ民主共和国（東ドイツ）「ピオネールの活動」、1961、3/3 枚組。〈飛行機模型作り〉〈バレーボール〉〈フォークダンス〉。やっぱり真面目な東ドイツのピオネール。

ピオネールは、ソビエト連邦ほか社会主義国家の子どもたちの組織・少年団で、10 歳から 15 歳の少年少女が参加していました。そのオキテはすべての子どもの規範になること、コムソモール（青年共産同盟）に入るために心身を鍛えること。（シンドそうだなあ）。子どもたちはピオネール宮殿、ピオネールの家、ピオネール・キャンプ場に集ってクラブ活動や奉仕活動に参加し、そこで学んだり遊んだりして過ごしました。必須アイテムは模型飛行機と鉱石ラジオです。

子どもたちのために

2c
6c
10c
20c
NEDERLAND
NEDERLAND
NEDERLAND
NEDERLAND
1
Voor het Kind
SURINAME 20·10
Voor het Kind
SURINAME 8·3c
Voor het Kind
SURINAME 10·4c
2
6c+4
NEDERLAND
8c+4
NEDERLAND
12c+9
NEDERLAND
30c +9
NEDERLAND
3
X CONGRESSO INTERNACIONAL DE PEDIATRIA
1$00
1962 PORTUGAL
X CONGRESSO INTERNACIONAL DE PEDIATRIA
2$80
1962 PORTUGAL
X CONGRESSO INTERNACIONAL DE PEDIATRIA
$50
1962 PORTUGAL
4

西欧諸国の子ども切手は、児童福祉キャンペーン、あるいは児童福祉募金のための「寄付金付切手」が多くなっています。ことに有名なのはオランダ郵政が毎年発行する児童福祉切手「子どもたちのために」シリーズ。1924年から85年も出し続けているのに毎年新鮮、というそのデザイン力に脱帽です。

1 オランダ「子どもたちのために」、1948、4/5枚組。〈カヤック〉〈リュージュ〉〈ブランコ〉〈スケート〉。コッペパンみたいな子どもたち。単色刷りですが印象的な切手です。

2 スリナム共和国「子どもたちのために」、1964、3/4枚組。〈輪回し遊び〉〈なわとび〉〈ブランコ〉。スリナム切手についてはp.48。

3 オランダ「子どもたちのために」、1959、4/5枚組。〈狩りごっこ〉〈ガチョウにえさやり〉〈登校風景〉〈宿題〉。アルベール・ラモリスの映画『赤い風船』（1956）を思い出させる叙情的グラフィック。

4 ポルトガル共和国「リスボン小児医療国際会議」、1962、3/4枚組。〈天然痘の予防接種〉〈ボール遊び〉〈読書〉。子どもたちの表情が愛らしい。

5 スイス連邦「児童福祉50年」、1962、2/5枚組。〈アヒルを追いかける子ども〉〈少女とひまわり〉。

6 オランダ「子どもたちのために」、1933、4/4枚組。〈顕現日の祝日の星を掲げる仔グマ〉。顕現日（エピファニー）は東方の三博士が嬰児イエスのもとを訪れ救世主（キリスト）として認めた日で、1月6日。12月25日の降誕日（クリスマス）から顕現日までの12日間が降誕節です。仔グマの持っている星は三博士をイエスの眠る厩へと導いた星。クリスマス・ツリーのてっぺんの星は、この導きの星だったのでした。

切手に「子どもたちのために voor het kind」と入っているのは1950年代まで。長く続いている児童福祉切手としては、フランスの赤十字切手（p.30、1950年から）、デンマークのクリスマス・シール（p.120、1904年から）などがあります。

2 +3 c
NEDERLAND
10 +5 c
NEDERLAND
20 +7 c
NEDERLAND
6 +4 c
NEDERLAND

1

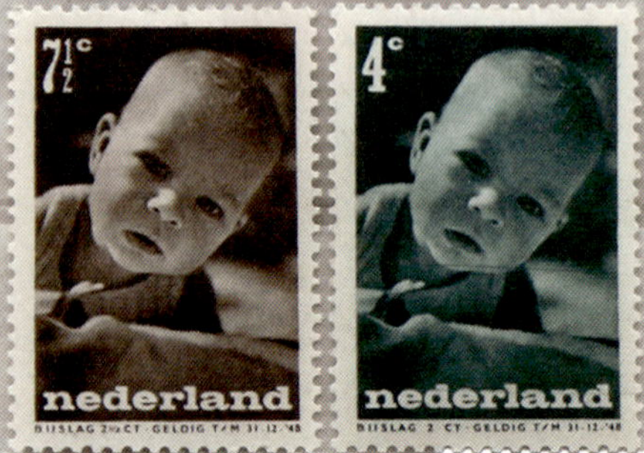
7½ c
nederland
BIJSLAG 2½ CT · GELDIG T/M 31-12-'48
4 c
nederland
BIJSLAG 2 CT · GELDIG T/M 31-12-'48

2

Hér er allt fólkið svo fallegt og nett.
Fimm eru á bænum, ef talið er rétt.
Ósköp væri gaman
í þessum heim,
ef öllum kæmi saman
eins vel og þeim.
1994 Ár fjölskyldunnar
ÍSLAND
4000

3

4

10KM
25KM
50KM
75KM
100
NEDERLAND

80 + 40c
1996
NEDERLAND
70 + 35c
1996
NEDERLAND
80 + 40c
1996
NEDERLAND

5

Canada 17
International Year of the Child 1979
1979 Année internationale de l'enfant

6

KINDERZEGEL 1977
15
+5C
NEDERLANDSE
ANTILLEN
KINDERZEGEL 1977
40
+18C
NEDERLANDSE
ANTILLEN
KINDERZEGEL 1977

7

子どもたちのために
オランダ王国
ルクセンブルク大公国

1 オランダ「子どもたちのために」、1951、4/5 枚組。〈風車と少女〉〈工場街の少年〉〈近代的な住宅に住む都会の少女〉〈漁村の少年〉。みんないい面構えしてます。

2 オランダ「子どもたちのために」、1947、2/5 枚組。〈赤ちゃん〉。目ぢから赤んぼ。

3 アイスランド共和国「国際家族年」、1994。

4 オランダ「子どもたちのために／交通安全」、1985、3/4 枚組。〈速度標識〉〈子どもに注意〉〈警告標識〉。

5 オランダ「子どもたちのために／大きくなったら何になる？」、1996、3/3 枚組。〈動物園？〉〈本の仕事？〉〈大工さん？〉。

6 カナダ「世界子どもの日」、1979。

7 蘭領アンティル「子ども福祉切手」、1977、3/4 枚組。空想のいきものと遊ぶ子どもたち。アンティル切手については p.48。

8 ルクセンブルク「慈善切手」、1962、4/6 枚組。〈マルガレータ大公女とジャン大公子〉〈ジャン大公子〉〈マルガレータ大公女〉。ルクセンブルク大公ジャン（在位 1964-2000）のお子サマ方。次男ジャン大公子とマルガレータ大公女は双子の兄妹。おもちゃが描かれた耳紙付き切手が送られてきたときはびっくり＆ウレシかった！

9 ルクセンブルク「慈善切手」、1967、1/6 枚組。〈マルガレータ大公女〉。

10 ルクセンブルク「CEPT ヨーロッパ切手」、1962、1/2 枚組。ヨーロッパ諸国が共通デザインで毎年発行します。

11 ルクセンブルク「児童救済」、1928、3/4 枚組。〈マリー･アデライド大公女〉。ちょっと哀しげな大公女。父ギヨーム 4 世には男子がなく、6 人姉妹の長女マリー・アデライドが 1912 年、18 歳で女大公に即位しました。第一次大戦中ドイツ占領軍への協力を余儀なくされたことが国民の反感を買い、共和制を望む左翼暴動によって妹のシャルロットに譲位し、30 歳の若さでインフルエンザで亡くなるという気の毒な生涯でした。

オランダ領の子ども切手

南米大陸北東部のスリナム共和国は1974年にオランダから独立、カリブ海の蘭領アンティル諸島はいまも海外領土です。切手の制作はオランダで行われていたため、両国の切手はオランダ切手の洗練とカリビアンな明るさをあわせもつ、とても楽しいものになっています。1980年代になると現地のリアルな姿も表現されるようになりました。

1 スリナム共和国（以下S）「子どもたちのために／お祭り」、1966、4/5枚組。〈年越の祭り／竹の大砲〉〈自由の日／奴隷制度廃止を祝う日〉〈女王（聖母マリア）の日／教会の寄進祭〉〈クリスマスの星を飾る子どもたち〉。スリナムの宗教人口はキリスト教40%、ヒンドゥー教20%、イスラム教14%なので、ヒンドゥー教の新年ファグワー、キリスト教のイースターがともに国の休日になっています。

2 蘭領アンティル（以下A）「児童福祉切手」、1975、2/3枚組。

3 S「子どもたちのために」、1974、3/5枚組。〈小鳥〉〈かぼちゃの収穫〉〈穀物の実り〉。

4 A「児童福祉切手／遊ぶ子ども」、1962、2/3枚組。

5 A「動物」、1987、2/3枚組。〈イグアナ〉〈オジロジカ〉。

6 A「児童福祉切手」、1981、2/4枚組。〈テディベア〉〈仔ネコ〉。

7 A「児童福祉切手／童謡」、1974、2/3枚組。〈お日さま、お月さま〉〈のこぎり〉。

8 S「子どもたちのために」FDC、1973。

9 S「児童福祉切手」FDC、1965。オランダに留学し美術を学んだスリナム・アーティスト第1世代のひとりで、スリナム中央銀行のファサードのレリーフなどを制作したスチュアート・ロブレス・デ・メディナによる切手。読書する子どもと動物と…蜘蛛？ よく見ると不思議な切手です。

コーヒーのプランテーション経営やアルミニウム他の豊かな鉱物資源の開発は多くの労働力を必要とし、17世紀からアフリカ黒人奴隷、インドネシア（特にジャワ島）からの契約移民、中国・中東からの移民が集められたため、スリナムは世界でも例を見ない多様な民族構成と文化を有する国になっています。

1

UAR
الجمهورية العربية المتحدة
بريد ١٩٧٠
1970
POSTAGE
20 M
العام الدولي للتربية
INT. YEAR FOR EDUCATION

4

MINISTERIO DE EDUCACION Y CULTURA
UNESCO
1970
AÑO
INTERNACIONAL
DE LA
EDUCACION

2

INTERNATIONAL EDUCATION YEAR 1970
20
PAISA
POSTAGE
INTERNATIONAL EDUCATION YEAR 1970
50
PAISA
POSTAGE

3

ΔΙΕΘΝΕΣ ΕΤΟΣ ΕΚΠΑΙΔΕΥΣΕΩΣ - 1970
ANNÉE INTERNATIONALE DE L'EDUCATION
ΕΛΛΑΣ · HELLAS ΔΡ 2.50

5

Año Internacional de la Educación 1970
CUBA
CORREOS
13
30
CORREOS
CUBA
Año Internacional de la Educación 1970

教育年の謎キャラ エジプト・アラブ共和国ほか

1 エジプト「ユネスコ／国際教育年」、1970。国連の国際教育年だったこの年、各国が記念切手を発行していますが、その共通キャラがこの「アタマのひと」。…無意味にコワスギ！ このヒトは宇宙から地球の教育を監視しにきたヒトかもしらん…とつねづね思っていましたが、ついにこのエジプト切手を発見して我が意を得たり。学校さぼりの道草小僧？が攻撃されちょります。やっぱりなー。うんうん。

2 パキスタン・イスラム共和国「国際教育年」、1970、2/2 枚組。

3 ギリシャ共和国「国際教育年」、1970。国名はギリシャ古典語での通称「ヘラス」が表示されています。

4 ウルグアイ東方共和国「国際教育年」、1970 のタブ。

5 キューバ共和国「国際教育年」、1970、2/2 枚組。

6ab エジプト「教育とカリキュラム」、1975。2/2 枚組。

7 エジプト「国連デー」、1979、1/2 枚組。〈国際教育年〉。アメリカの切手カタログ『スコット』には「ユネスコのシンボルマークでやじろべえ遊びをする子ども」と説明されていて、えー、考えスギだよと思ったけれど、もう、そうとしか見えません。

8 エジプト「先生の日」、1974。

9 エジプト「世界人口年」、1974、1/3 枚組。

10 レバノン共和国「こどもの日」、1964、3/4 枚組。〈なわとび遊び〉〈シーソー木馬〉。レバノン切手についてはp.78。

アラブ諸国切手は、ヒゲの王様切手が多くてなかなかヘヴィなのですが、1952 年にナーセルの無血クーデターによって王制が廃止され共和国となったエジプトの切手は、産業振興、社会福祉増進と、多様なテーマが明快なグラフィズムで展開されています。ここにある切手は、ナーセルの後継者サダート政権下で経済の自由化が進められた時期に発行されたものです。

名犬たちに続け！宇宙へ！

武田雅哉

1950年代の末期から、科学のユートピア、ソビエト連邦は、カワイイ犬やカッコいい宇宙船を、次から次へと地球の外に打ち上げ、宇宙開発競争において、アメリカを一歩リードしました。そして、ソ連の傘下にある仲間たちもまた、虎の威を借る切手発行事業に奔走したのでした。

1 ソビエト「スプートニク5号」1960。FDC封筒とその切手、1/2枚組。
2 ソビエト「スプートニク5号」FDCの別バージョン。貼られた切手はソビエト「スプートニク9号·10号打ち上げ」、1961、2/2枚組。
3 ソビエト「火星探査マルス1号打ち上げ」、1962。
4 ブルガリア「ソビエトの宇宙犬」、1961。〈ストレルカ、チェルヌーシカ、ズビョーズドチカ、ベルカ〉。
5 モナコ「国際切手見本市、1964年パリ」、1964。古代エジプトの情報伝達ロケット。

写真のままの2匹は、左がベルカ、右の模様のあるのがストレルカ。かれらは1960年8月、スプートニク5号に乗り込み、ほぼ一日、地球軌道上を周回して、無事に帰還し、軌道飛行をなしとげて生還した、最初の地球の動物となりました。切手のデザインは、クレムリンの塔から宇宙船の軌跡が黄色く弧を描いて伸び、その先端には宇宙船スプートニクが、天空に輝いています。これが、ソビエト連邦の国旗の鎌と赤い星に見えてしまうのは、気のせいでしょうか？

手前のFDCでは、2匹が並んで描かれています。仰角で描かれた、崇高さたっぷりの、ヒーローのポーズです。張られた切手には、ベルカとストレルカにつづけとばかりに打ち上げられ、切手の肖像になった、チェルヌーシカとズビョーズドチカ。2匹とも無事に生還しました。よかったね！

ソビエトの火星探査も60年代に始まります。なんといっても、「赤い星」火星なら、やっぱりソ連が一番乗りしなくっちゃ！　というわけで。でも、切手に描かれたマルス1号は、通信が途絶えてしまいました。それにしても、いやに赤々と印刷された火星です。

R.P.ROMÎNĂ
RACHETA BALISTICA GEOFIZICA
2 IULIE 1959
POSTA AERIANA 1.55 LEI
R.P. ROMÎNĂ
1 MAREA MOSCOVEI
2 GOLFUL ASTRONAUTILOR
3 MAREA SUDULUI
4 CRATERUL ŢIOLKOVSKI
5 CRATERUL LOMONOSOV
6 CRATERUL JOLIOT-CURIE
7 MUNTII SOVIETICI
8 MAREA VISULUI
МОСКОВСКОЕ МОРЕ 1
ЗАЛИВ АСТРОНАВТОВ 2
ЮЖНОЕ МОРЕ 3
КРАТЕР ЦИОЛКОВСКОГО 4
КРАТЕР ЛОМОНОСОВА 5
КРАТЕР ЖОЛИО-КЮРИ 6
СОВЕТСКИЕ ГОРЫ 7
МОРЕ МЕЧТЫ 8
U.R.S.S.
FOTOGRAFIEREA SUPRAFETII INVIZIBILE A LUNII
7-X-1959
POSTA 1.60 LEI AERIANA
DIAGRAMA MIŞCARII CELEI DE A TREIA RACHETE COSMICE 4-X-1959
1.75 LEI POSTA AERIANA R.P.ROMÎNĂ
NR BULGARIA
19 АВГУСТ 1960
БЕЛКА И СТРЕЛКА
1.25 LV
PAR AVION
SZOVJET ŰRRAKÉTA
1959 I.2
GEOFIZIKAI ÉV
MAGYAR POSTA 60
12 АПРЕЛЯ-ДЕНЬ КОСМОНАВТИКИ
ПЕРВЫЕ СПУТНИКИ
2.50 zł
POLSKA
POLSKA
GR 40
60 GR
POLSKA
С ЗЕМЛИ
СССР ПОЧТА 1971
ČESKOSLOVENSKO
KOSMICKÁ BIOLOGIE A MEDICÍNA
50h
В.И.ЛЕНИН
1870-1970
ТОЛЬКО СОЦИАЛИСТИЧЕСКАЯ ОРГАНИЗАЦИЯ ОБЩЕСТВА СПОСОБНА ОБРАТИТЬ РАЗВИТИЕ ЭКОНОМИКИ, НАУКИ И КУЛЬТУРЫ НА БЛАГО НАРОДА, ОТКРЫТЬ ПРОСТОР ДЛЯ ВСЕСТОРОННЕГО РАЗВИТИЯ ТАЛАНТОВ И СПОСОБНОСТЕЙ ЛЮДЕЙ
почта СССР

1

2

3

4

5

6

7

8

9

社会主義圏の宇宙切手

10

11

12

13

14

1 ルーマニア「宇宙征服」、1959、3/ 3枚組。〈宇宙へいった犬とウサギ〉〈ソビエト宇宙船ルーニク3号が撮影した月の裏側と主な陸標〉〈ルーニク3号の軌道〉。
2 ブルガリア「ソビエト宇宙衛星スプートニク5号」、1961。
3 1の切手の図柄の元になったとおぼしき写真。
4 ハンガリー「ソビエト衛星ルナ2号の月面到達」、1959。
5 ソビエト「宇宙飛行士の日」、1964、1/3枚組。〈スプートニク1号2号3号と地球〉。
6 ポーランド「衛星」、1959、3/ 3枚組。〈ルーニク2号〉〈スプートニク3号〉〈ルーニク1号〉。
7 ソビエト「宇宙征服」、1971、1/ 4枚組。〈月面車ルノホート1号を地球から操作する〉。
8 ソビエト「レーニン生誕100年」、1970、1/ 10枚組。〈宇宙征服〉。
9 チェコスロバキア「宇宙計画」、1980、1/5枚組。〈宇宙での生物学調査のための衛星と実験動物〉。
10 チェコスロバキア「宇宙探査」、1962、2/6枚組。〈月面から地球を臨む惑星間ステーション〉〈宇宙空間に旅立つ人間のシンボル像〉。
11 チェコスロバキア「宇宙探査」、1961、1/ 6枚組。〈宇宙飛行士〉。
12 チェコスロバキア「ソビエト有人宇宙飛行開始」、1961、1/2枚。
13 北ベトナム「ソビエト宇宙船ルナ17号」、1971、2/ 3枚組。〈月面に降りた月面車ルノホート1号〉〈月面へ降下するルノホート1号〉。
14 北ベトナム「ソビエト月探査船ルナ9号」、1966、1/ 2枚組。〈月への飛翔〉。

社会主義友好国にとっては、ソ連の輝かしい宇宙開発の成果は、格好の切手のモチーフとなったのでした。

1 **ロシアの代表的陶磁器メーカー、ロモノーソフ社のプロパガンダ・フィギュリン「宇宙飛行士」（1960 年代）。**カメラを持った飛行士は、1965 年、ボスホート２号から人類初の宇宙遊泳をおこなったアレクセイ・レオーノフがモデルでしょう。

2 **地球を周回するスプートニクのペイパーウェイト（1960 年代）。**

3 **朝鮮民主主義人民共和国「宇宙旅行」、1966、3/3 枚組。〈ルナ 10 号〉**世界で初めて月の周回軌道に乗ることに成功。2 ヶ月宇宙にあって月を 460 周。**〈ルナ 9 号〉**花びら型の着陸機で月面軟着陸に成功。直径 58 センチの小さな着陸機は月のパノラマ写真撮影に成功。**〈宇宙遊泳〉**ソ連の宇宙開発シリーズ。ルナ 10 号は、1966 年に世界初の月周回軌道飛行に成功しました。ルナ 9 号は同年、世界初の月面軟着陸に成功しました。宇宙遊泳をする飛行士は、レオーノフ。

4 **ソビエトのピンバッジ「金星探査船ベネラ４号」、1960 年代。**

5 **ポーランド「ソビエト宇宙船ボストーク３号と４号のランデヴー」、1962、2/2 枚組〈宇宙船の飛行軌道〉〈ふたりの飛行士、ニコラエフとポポビッチ〉。**赤い星とともに、地球軌道上を周回する２人の飛行士の名前を綴った文字の帯は、カッコいい。

ソ連の宇宙船に便乗しちゃおう！

6

7

6 北朝鮮「世界子供の日 30 年」、1980、1/6 枚組。〈宇宙船乗り物に乗って遊ぶ子供〉。 いかにも遊園地にありそうな宇宙船ですが、子供の夢は世界共通のようです。デザインは、ミグ 21 戦闘機あたりがモデルでしょうか。

7 モンゴル「子供年」、1983。〈若き技術者たち〉。 モンゴルにおける、子供たちの科学への関心を描いたもの。

8

9

10

11

8 ソビエトのピンバッチ。「パイエーハリ！（さあ行こう）」はガガーリンが人類初の宇宙飛行士として飛び立つときに言った言葉。映像が残っています。

9 ソビエトのピンバッチ「スプートニク」、1960 年代。 スプートニク１号から 30 周年を記念したバッジ。球体から出た３本の足（実際は４本）のシルエットは、ソ連宇宙開発のシンボルです。

10 ソビエトのピンバッチ「ベネラ 9 号と 10 号」、1960 年代。 ベネラ計画は、ソ連の金星探査計画。

11 ソビエトのピンバッチ「ルナ 10 号」、1966。 バッジには、「初めての月の人工衛星」と書かれています。

12

12 ラオス「宇宙旅行」、1973、2/2 枚組。〈着陸船とロケット〉〈スプートニクとラーフ神〉。 アメリカのアポロ月着陸船イーグルとソビエトのスプートニクという、米ソの宇宙開発における輝かしい二大業績をモチーフにしながら、それぞれには、雨乞いの儀式として行われる「ロケット祭」のロケットと、月や太陽を食べて月食と日食をひきおこす悪魔という、東南アジアの伝統が配されています。下絵はフランス人画家マルク・ルゲ（→ p.33）。

ソ連の宇宙機は洒落てるなあ

武田雅哉

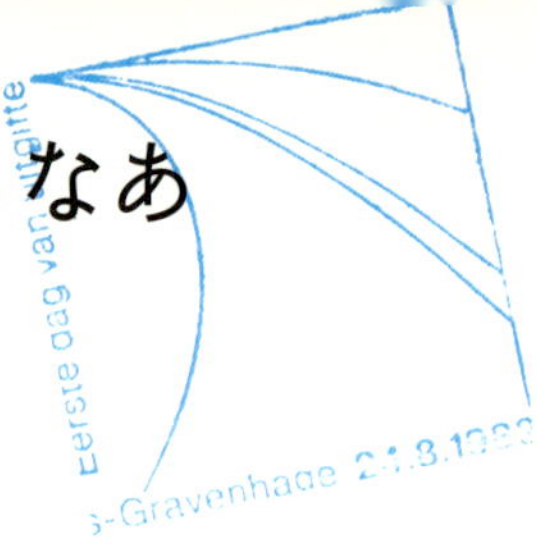

1970年の大阪万国博覧会。白く平べったい楕円形をしたアメリカ館が誇る一番の展示物は、なんといっても、その前年、アポロ11号が月から持ち帰った石であり、またアポロ宇宙船でした。当時、中学校の入学式を済ませるや、そののち2週間のあいだ、学校をすっぽかして万博会場におもむいたぼくは、たしかに宇宙開発というものに浮かれる少年ではありましたが、主要なお目当ては、アポロのあるアメリカ館ではなく、たなびく赤旗をモチーフにしたようなデザインのソビエト連邦館だったのです。

1

その理由はおそらく、アメリカの宇宙船はよく眼になじんでいたけれど、ソ連のそれのデザインは、資本主義圏に生まれ育った少年のぼくとしては「奇妙キテレツ」に映ったからでありましょう。それはたとえば、戦車ならばKV-IIギガントにT-34、ミグ戦闘機や空母ミンスク、ボストークロケット、ゾンド5号……と、みんなそうなのですが、まるで別の宇宙からやって来た一味違う造形物という風情が、なかなかに魅力的であったからです。かくしてぼくは、ソ連パビリオン内部につるされた、ソユーズ宇宙船と対面を果たしたのでした。

1976年、ソ連空軍のベレンコ中尉が操縦するミグ25戦闘機が函館空港に着陸するという事件がありました。その時、家の外で洗濯物を干していたぼくの母は、赤い星の奇態な飛行機の飛来に「なんじゃありゃ？」と首をかしげたそうであります。その最新鋭機が、米軍による機体の解体調査を経て、真空管を発達させた設計思想のもとに作られているとかいう話を聞いて、ソ連に対して、さながらスチームパンクＳＦの舞台であるかのような幻想を抱いたものでした。

「科学の国」ソビエト連邦が、その力をもっとも如実につきつけたのが、1957年、スプートニク1号の成功に始まる宇宙開発でした。このちっぽけな人工衛星の成功は、アメリカに、いわゆる「スプートニク・ショック」

2

を与え、球体から出た３本の足――実際は４本ですが、意匠の上で３本に描かれます。――のシルエットは、しばらくのあいだ、ソ連宇宙開発のシンボルとなりました。

　これらの切手を眺めていると、スプートニクにせよルナにせよ、そこに描かれた人工衛星や宇宙機の形状、そして宇宙犬たちの顔は、ほぼ正確なようですが、それらを

3

1 ソビエト「宇宙観測船ルナ１号打ち上げ 30 周年」、1989。
2 ソビエト「スプートニク３号」、1958。
3 K. ドンブロフスキー『月とロケットについて』（モスクワ、1964）。子ども向け宇宙本の表紙と見返し。テレタビーズ ?!

4

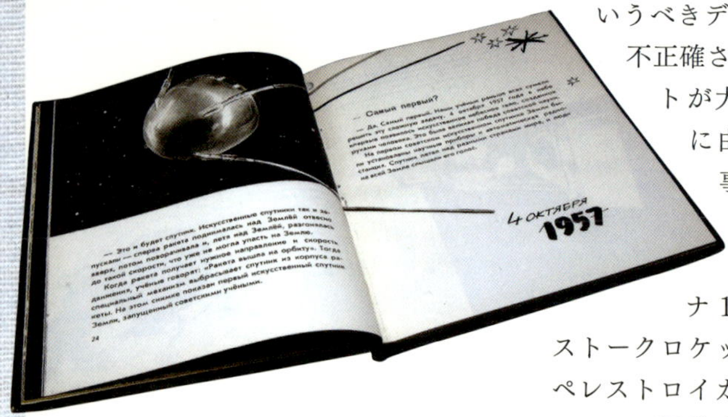

打ち上げるのに用いられたロケットは、おおむね絵師たちの想像によるもののようです。つまり、つるつるのなめらかなカーブを描いた紡錘形で、ナイフのような翼を備えたそれは、5、60年代のＳＦ映画によく登場する「ロケットのイコン」とでもいうべきデザインでした。その不正確さは、それらのロケットが大陸間弾道ミサイルに由来するという、軍事機密上の理由によるのかもしれません。ちなみに、ルナ１号を打ち上げたボストークロケットの実際の形状は、ペレストロイカが進展した1989年の切手「宇宙観測船ルナ１号打ち上げ30周年」(1) になると、正しく描かれています。

北朝鮮が、ソ連の宇宙開発を讃えた切手もたくさんあります(p.56)。ここには、月探査機のルナ９号と10号をテーマにしたものが載せられていますが、月から見える地球の正面がモスクワではなく、極東アジア、すなわち自国になっているのはご愛嬌でしょう。

4『月とロケットについて』より、上から〈ベネラ１号〉〈スプートニク１号､1957。世界初の人工衛星〉〈ルナ３号〉。

5 ソビエトのグラフ雑誌『アガニョーク』（1960年42号）より。「国連ビルの玄関にある我が国スプートニクの模型。それはいつも訪れる人々に感動を呼び起こす」。

5

キノコ切手、博物切手

1
2
R.P.ROMINA
POSTA 55 BANI
POSTA 35 BANI
POSTA 20 BANI
POSTA 5 BANI
BUCURESTI 12-VII.1958
PRIMA ZI A EMISIUNII
PRIMA ZI A EMISIUNII
F. D. C.

晩夏から晩秋は、キノコ撮りでいそがしい。とうぜんキノコ切手も気になります。コレクターが多いので外貨めあてに発行する国も多いジャンルですが、絵を見ればほんとにキノコを愛してるかどうかがわかります。見たり撮ったりするだけで、採って食べないうちはまだまだ、と思い知らされる東欧キノコ切手の愛の深さです。

1 ルーマニア「キノコ」FDC、1958。上段左から〈ササクレヒトヨタケ〉〈アミガサタケ〉〈ハラタケの一種〉〈ヤマドリタケ〉〈アンズタケ〉。下段左から〈カラカサタケ〉〈コガネホウキタケ〉〈タマゴタケ〉〈アカモミタケ〉〈ナラタケ〉。世界で最初のキノコ切手。ぶわぶわの紙質、スモーキーだけど明るい色彩。初日消印もキノコです。

2 ロシアのキノコ・オーナメント。

3 ハンガリーのキノコ・ポケット図鑑、1966。中はカラー写真。

4 葉巻のラベル。

5 ソ連の雑誌『アガニョーク』（1960 年 38 号）。シーズン到来のキノコわくわく記事。みんなほんとにうれしそう。

1

Europäische Speisepilze DDR 5
Rotkappe Leccinum testaceo scabrum
Europäische Speisepilze 20 DDR
Marone Xerocomus badius
Europäische Speisepilze DDR 35
Steinpilz Boletus edulis
Europäische Speisepilze 10 DDR
Flockenstieliger Hexenröhrling Boletus erythropus
Europäische Speisepilze DDR 15
Wiesenchampignon Agaricus campester
70 DDR

3a

AMANITA MUSCARIA - MUCHOMOR
TRUJĄCY
POLSKA
CANTHARELLUS CIBARIUS - KURKA
POLSKA
AMANITA PHALLOIDES - MUCHOMOR
TRUJĄCY
20 GR
POLSKA
LACTARIUS DELICIOSUS - RYDZ
POLSKA
60 GR
BOLETUS EDULIS - BOROWIK
POLSKA
40 GR

4a

POLSKA 2 zł
POLSKA 10,50 zł
POLSKA 2 zł

キノコ切手
東ドイツ・ポーランド
ルクセンブルク

2

3b

4b

1 東ドイツ「ヨーロッパの食べられるキノコ」、1980、6/6枚組。〈キンチャヤマイグチ〉〈ニセイロガワリ〉〈ヤマドリダケ〉〈オオウラベニイロガワリ〉〈ハラタケ〉〈アンズタケ〉。キノコをとりまく草木や昆虫が描き込まれています。キノコを見つけるのには、目当てのキノコの好む環境を頭に入れておくことが肝要なので、周辺物件は重要。右写真の東京大学総合研究博物館小石川分館が保存している、ドイツに発注したという木製キノコ標本（！）も、「葉っぱーキノコー昆虫」をグラス・ドーム化していました。書き文字の入り方もフィールド・ノートっぽくて楽しい切手です。

2 ルクセンブルグ「キノコ」、1991、4/4枚組。〈ツチグリの1種〉〈アミガサダケ〉〈？〉〈？〉。星型にひらいてパフンと胞子を噴くツチグリ。センスのいい切手だなあと思っていたら、『バラ図譜』で「花のラファエッロ」と謳われたベルギーの植物画家ルドゥデ（1759-1840）のキノコ図譜からの引用でした。

3ab ポーランド「キノコ」、1959、8/8枚組。〈ベニテングタケ〉〈アカモミタケ〉〈アンズタケ〉〈シロタマゴテングタケ〉〈ヤマドリダケ〉〈ハラタケ〉〈ヤマイグチ〉〈ヌメリイグチ〉。このキノコ切手も1959年という早い段階での多色刷り。しかも三角形！ キノコというモチーフの愛されぶりが伺えます。

4ab ポーランド「キノコ」、1980、5/6枚組。〈タマノリイグチの一種〉〈オニフスベ〉〈アカカゴダケ〉〈オニイグチ〉〈ハナビラタケ〉。昔から博物図譜で扱われることの多かった少々グロテスクでピトレスクなキノコが集められています。

APOTEKET 400 ÅR 1995
SVANE APOTEKET
NOREG 3.50
APOTEKET 400 ÅR 1995
NOREG 25.00
1
5F
AMPHICRASPEDUM MURRAYANUM
POSTES 1972
REPUBLIQUE DU SENEGAL
15F
CERATOSPYRIS POLYGONA
POSTES 1972
REPUBLIQUE DU SENEGAL
10F
PTEROCANIUM TRICOLPUM
POSTES 1972
20F
CORTINISCUS TYPICUS
POSTES 1973
2
DDR 20
250 Jahre Staatliche Wissenschaftliche Museen Dresden
DDR 50
250 Jahre Staatliche Wissenschaftliche Museen Dresden
Mathematisch-Physikalischer Salon
Tischfernrohr, um 1750
UNIVERSITY OF THE WEST IND
Nassau - Baha
5th February 19
FIRST DAY COV
3
DDR 25
250 Jahre Staatliche Wissenschaftliche Museen Dresden
Museum für Mineralogie und Geologie
Achat Wiederau
DDR 10
250 Jahre Staatliche Wissenschaftliche Museen Dresden
Museum für Tierkunde
Papilio hahneli (STAUDINGER)
DDR 35
250 Jahre Staatliche Wissenschaftliche Museen Dresden
Museum für Mineralogie und Geologie
Palaeobatrachus diluvianus

4

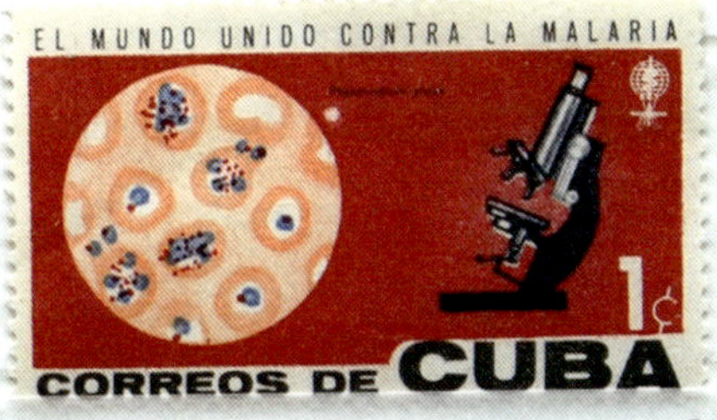

5

6

博物切手
ノルウェー王国
セネガル共和国ほか

1 ノルウェー「ノルウェー薬店 400 年」、1995、2/2 枚組。〈白鳥薬店〉〈昔の薬店の道具類〉。ファサードの上の白鳥、キャビネットという図柄を見て、ブンダーカンマー（驚異博物館）切手だ！ と興奮しましたが 1595 年開業のノルウェー最古の薬店「白鳥」でした。ま、美術館はブンカマの生真面目な息子、薬店は篤実な甥っ子みたいなもんだから、当たらずとも遠からず。

2 セネガル「海の生物Ⅰ・Ⅱ」、1972、3/5 枚組 +1973、1/4 枚組。放散虫とクジラという極小／極大セット。放散虫は海に生息する 0.02-0.2 ミリの微小な単細胞生物ですが、ちゃんと自分でご飯つかまえて食べたりコロニー作ったりしつつ「終生浮遊生活を送る」のだそうです。ヘッケルのすばらしい博物図譜があります（→ p.74）。セネガルは大西洋に面し、アフリカで最も都市化の進んだ国。13 世紀からイスラムの王国が形成され、落花生栽培がもたらす現金収入が下層農民にまで浸透し、それがフランス統治に抵抗するイスラム社会革命運動の基盤となった由。1960 年独立、詩人で学者のサンゴールの長期政権が 80 年まで穏健な自由主義を貫きました。

3 東ドイツ「ドレスデン自然史博物館 250 年」、1978、5/6 枚組。〈トルキスタン・トカゲの瓶標本〉〈台付き反射望遠鏡〉〈瑪瑙〉〈ハーネルジャコウアゲハ〉〈カエルの化石〉。正真正銘のブンダーカンマー切手。この博物館の起源は 16 世紀後半のザクセン選帝侯の宮廷内の蒐集室にあるからです。下段のアゲハは触角や翅に欠損あり。探検家ハーネルが南米アマゾンで採集して持ち帰り新種として認定された標本そのものという由緒ある標本なのです。

4 ポーランド「マラリアとの闘い」、1962、2/3 枚組。〈マラリア病原体〉〈病原虫〉。

5 キューバ「マラリアとの闘い」、1962、1/3 枚組。〈顕微鏡とマラリア病原体〉。

6 バハマ「西インド諸島大学創立 25 年」FDC、1974。

Kenya
AQUAMARINE
3/-
Kenya
AMETHYST
1/-
Kenya
SAPPHIRE
Kenya
TOURMALINE
2/-
GYPSUM
Kenya 10c
TRONA
Kenya 20c
KYANITE
Kenya 30c
GALENA
Kenya 50c
AMAZONITE
Kenya 40c

1

MUSEO GEOMINERO
F.N.M.T. 1994
ESFALERITA
29
ESPAÑA
correos
MINERALES DE ESPAÑA
F.N.M.T. 1994
GALENA
29
ESPAÑA
correos
MINERALES DE ESPAÑA
F.N.M.T. 1994

2

SWA
40c
SWA
10c
SWA
5c
SWA
1c

3

4

5

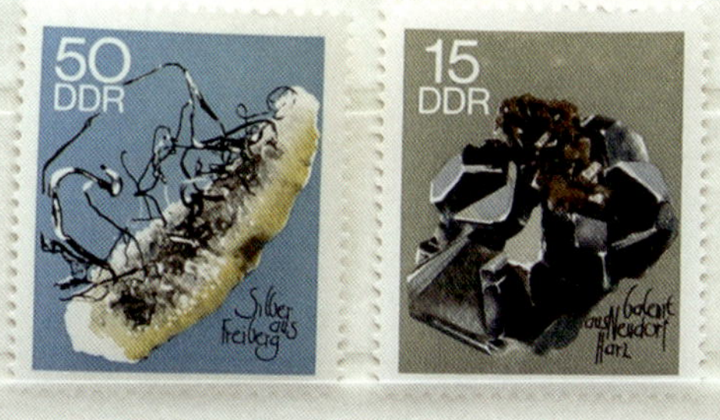

6

7

鉱物・化石切手
ケニア共和国
スペインほか

1 ケニア共和国「鉱物」、1977、9/14 枚組。〈緑柱石〉〈紫水晶〉〈サファイア〉〈電気石〉〈透石膏〉〈重炭酸ソーダ石〉〈藍晶石〉〈方鉛鉱〉〈天河石〉。19 世紀末のリトグラフ印刷の博物図鑑から引用されたとおぼしきすばらしく美しいセット。

2 スペイン「鉱物 II」、1994、3/5 枚組。〈マドリッドの地質鉱物博物館の大ホール〉〈閃亜鉛鉱〉〈方鉛鉱〉。アール・ヌーボー調の優美なガラスの天井を戴く大展示室。ロンドン自然史博物館のネオ・ゴシック様式といい、鉱物博物館の建物もなかなか興味深い世界です。

3 南西アフリカ「鉱物と鉱山」、1989、4/15 枚組。〈ダイヤモンド〉〈藍銅鉱〉〈ミメット鉱〉〈石膏〉。現ナミビア共和国。

4 アンゴラ共和国「地質学・鉱物学・古生物学」、1970、2/12 枚組。〈重晶石〉〈タコノマクラの化石〉。

5 ハンガリー共和国「ハンガリー地質学研究所 100 年」、1969、2/8 枚組。〈アンモナイト〉〈亀〉。此処もまた独特の建物。ハンガリー世紀末建築を彩ったジョルナイ工房の建築用セラミックを用いたレヒネル・エデンの作品（下写真）。

6 東ドイツ「鉱物」、1969、2/6 枚組。〈フライベルクで発見された銀〉〈方鉛鉱〉。フライベルクといえば、ノヴァーリスも学んだ鉱物学校のあるドイツ・ロマン主義鉱物文学の聖地。書き文字のおもしろい東ドイツ・スタイルの切手です。

7 キルギス共和国「鉱物」、1994、2/6 枚組。〈方解石〉〈輝安鉱〉。モフモフ鉱物。

photo:
Geological Institute of Hungary

海切手

1
4c
2a
Australia
National Parks Centennial
Cape Hatteras National Seashore
U.S. 2c
3
4
PANAMA
CORREOS
B/0.01
Australia
mauve stinger
2b
5
0,65
ÎLES DES APÔTRES
7
NORRBY ÜLEMINE
1935
2005
NORRBY ALUMINE
1935
2005
EESTI
6.50
EESTI
6
8

海の切手を蒐めていたら、いつのまにかフランスで刷られた凹版切手がふえていました。そういえばヴェルヌ、ミシュレ、クストー、マイヨールと、海の表現者にはフランス人が多い…と曖昧に納得。モナコのすばらしい海切手もフランスの国立印刷所が刷っています。

9

1 ニュージーランド「国営生命保険局100年／燈台」、1969、1/5枚組。〈エグモント岬〉。生命保険局が使用する「生命保険局切手」。1891年以来、安全のシンボル、燈台を図柄にしています。雨が多いことで有名なエグモント山は、マオリ族の伝説によるとタラナキという男山で、小柄な人妻火山ビハンガへの恋に破れ、失恋の涙を流し続けているのだそうです。

2ab オーストラリア連邦「海の生物と鉱物」、1973、3/8枚組。〈ヒメシオマネキ〉〈オトメエビ〉〈オキクラゲ〉。

3 アメリカ合衆国「ハッテラス岬海浜国立公園」、1972、4/4枚組。渚にはふっくら愛らしいフエコチドリ。変化しない物は何もないと言われるほど雨風の影響の強い土地で、航海の難所としても有名。

4 アイルランド「燈台施政200年」、1986、1/2枚組。〈キシュ燈台〉。ダブリン湾の難所キシュ浅瀬に建つ望遠鏡のような形の燈台。国名表記はアイルランド語の「エァラ」。

5 パナマ共和国「東京オリンピック」、1964、1/6枚組。〈潜水〉。何をして東京オリンピックなのか皆目不明な海セット。

6 コンゴ民主共和国「世界の七不思議」、1978。1/7枚組。〈アレクサンドリアの大燈台〉。立派なはず…紀元前3世紀に建造されたというあれでした。うーん。

7 仏領南極地方切手「アポトル岩礁諸島」、1982。領土権が凍結された南極ですが、各国が領有権誇示のために殊さら美しい南極地方切手を発行しています。

8 エストニア共和国「燈台」、2005、2/2枚組。〈上ノルビュー〉〈下ノルビュー〉。

9 フィンランド自治領オーランド諸島「著名な人物Ⅱ」、2003。ただの海パンちびっこ切手にあらず。作家にしてラジオやテレビのパーソナリティ、カミングアウトしたゲイで、大人気の才人マーク・レヴェングッドの幼少期写真でした。海パンは上から貼り紙してある…。

REPUBLIQUE FRANÇAISE
OCEANEXPO
BORDEAUX 1971
POSTES
0,80
1
RF
1,80
POSTES
Poa Cookii
2a
3
1,70
RF
POSTES
TERRES AUSTRALES ET ANTARCTIQUES FRANÇAISES
2b
RF
6,50
Lichen
Neuropogon Taylori
POSTES
TERRES AUSTRALES ET ANTARCTIQUES FRANÇAISES
RF
1,70
POSTES
TERRES AUSTRALES ET ANTARCTIQUES FRANÇAISES
4
NOUVELLE CALEDONIE ET DEPENDANCES
10F
POSTES
RF
GLAUCUS ET SPIROGRAPHE
5a
MONACO
1961
1er CONGRES MONDIAL D'AQUARIOLOGIE
NOV. 1960
0,25
6
NOUVELLE CALEDONIE ET DEPENDANCES
RF POSTES
26F
CORAUX FLUORESCENTS
AQUARIUM DE NOUMÉA
5b
TERRES AUSTRALES ET ANTARCTIQUES FRANÇAISES
0,50
POSTES
OPHIURES
7
TERRES AUSTRALES ET ANTARCTIQUES FRANÇAISES
POSTES
8
NOUVELLE-CALEDONIE ET DEPENDANCES
POSTES
1F
5c

南極、珊瑚礁、海の底 凹版切手の海

1 フランス「ボルドー海洋博覧会」、1971。潜水艇シエナ号の印象的な円窓を巧みにデザイン。深海探検をリードしたフランス国立海洋研究所が建造し、2000mという世界最深有人潜水記録をうちたてた艇です。

2ab 仏領南極地方切手（以下FA）「南極の植物」、1987、2/2枚組。

3 FA「南極の植物」、1991。〈苔玉〉。

4 FA「南極の植物」、1988。

5a-c 仏領ニューカレドニア「海の生物」、1959、3/4枚組。〈アオウミウシとケヤリムシ〉〈ヌーメア水族館の蛍光サンゴ〉〈キリンミノ〉。世界初のウミウシ切手。フランスの名匠P・ギャンドンの彫版です。

6 モナコ（以下M）「世界水族館学会議」、1961。

7 FA「南極の動物」、1987、1/3枚組。〈クモヒトデ〉。

8 FA「海の生物」、1986。〈ウニ〉。

9 M「国際水路局50年」、1971。海図などの改善で航海を安全にする国際機関。

10 M「潜水の歴史」、1962、4/7枚組。〈潜水球（バチスフィア）〉紀元前3世紀、アレキサンダー大王が海中を探検したという伝説のガラス樽／探検家で博物学者のW・ビービ博士らが制作し1930年世界初の有人潜水に成功した潜水球。〈大気圧潜水服〉ドイツのK・H・ケレンゲルトが1797年に発明した実用的な金属製の大型潜水ヘルメット／装甲潜水服。〈アクアラング〉素潜りダイバー／J・Y・クストー発明のアクアラング使用のスクーバダイバー。〈潜水鐘〉イタリアのR・ガレアッツィ製作。彼は潜水会社を設立し、50種以上の装甲型潜水服を製造。採用している海軍も多数。額縁の海草をはじめ、すばらしい図案＆彫版です。

11 M「ジュール・ベルヌ歿後50年」、1955、1/11枚組。〈海底2万里〉。

12 M「海中居住実験ハビタット、プレコンチナンIII」、1966。1957年からモナコ海洋博物館の館長も務めたクストーのプロジェクト。モナコ近海水深100mに6人が22日間居住しました。

モナコ大公アルベール１世の海洋学博物館

荒俣 宏

3

モナコ海洋学博物館は、地中海の断崖にしがみつくように建つ、白亜の殿堂である。ネオクラシック様式の建築物をはじめて見たとき、思わず、オオッ、と叫んでしまったことを覚えている。

世界に数ある水族館のうち、建物を眺めるだけで感動するものは少ない。しかしここだけは、古い装飾に魅せられて100年前の世紀末を回想することができる。喜びは容れものにある！

まずは、創設者のモナコ大公アルベール１世の像がある大ホールに足を踏み入れ、天井を見上げよう。中央に、巨大な装飾過剰のシャンデリアがぶらさがっているが、よく見ればビゼンクラゲの一種（リゾストマ）の形をしている。

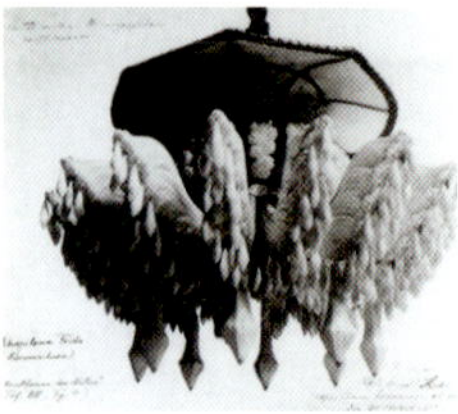
1

四隅には、これまた放散虫を模した丸い装飾が吊されている。そこから右手に折れると、有名な国際会議場にはいる。広大な空間だ。ここは、フランス人技師レジェが世界初のヘリコプター実験を行えたほど広い。このときヘリコプターは数メートル浮きあがったが、名誉ある乗客第一号が、博物館長の生物学者ジュール・リシャールだった。

往時を偲びつつ、ここでも天井に目を向けると、なんと格天井状になった各部分に、ヒドロ虫やイソギン

2

1 モナコ海洋学博物館のクラゲ・シャンデリア。
2 海洋博物館の内装のイマジネーションの源泉、ヘッケルの特異な博物画集『自然の造形』、1904、第 28 図。
3 1900 年のパリ万国博覧会のエントランス・ゲート。建築家ルネ・ビネのこの作品にもヘッケルの放散虫の影響が。
4「地中海科学学術調査 50 年」、1969。アルベール１世（右）とともに描かれているのはスペイン王アルフォンス 13 世。失政がつづき退位することになった王様だが、文化への関心は強かったとのこと。切手蒐集も２人の君主の共通の趣味。

4

チャク類の博物画が描かれているのを発見する。

こうした海産無脊椎動物のすばらしい装飾を眺めているうちに、ふと思い出してしまう名がある。世紀末のアールヌーヴォー期に、美術の原理も生物の形態の原理もまったく同一のものだとする仮説を出したエルンスト・ヘッケルである。この博物館が1899年に建設を開始し、1910年に完成、開館した事実を知るにつけ、すばらしい“生物学的装飾”のインスピレーション源がヘッケルの美術形態論にあるのではないかという予感が強くなる。

さっそく資料室で、建物の装飾を手がけたギュスターヴ・デュサール（1875-1952）というフランス人芸術家のことを調べた。果たせるかな、デュサールはヘッケルの描いた不思議な下等動物の図に心打たれ、それを装飾化したことが判明した。1910年の開館時にヘッケルもここを訪れ、自分のデザインがシャンデリアはじめ多くの装飾に使われた事実を知り、大いに喜んだという。

モナコ海洋学博物館と、エルンスト・ヘッケルとは、建物の装飾を通じて関係があっただけではない。深海生物の研究という共通項があった。1872から76年にかけて行われ

5 海から見た海洋学博物館。
6 深海魚のタイル画で飾られた2階踊り場と展示室入口上の大ダコ。photo: Dr. Manaan Kar Ray

5

6

7a

た英国軍艦チャレンジャー号による深海探査航海は、それまで無生物帯と考えられていた深海から、無数の新種生物を採集することに成功し、世界の度肝を抜いた。このとき無脊椎動物の分類記載を担当したエルンスト・ヘッケルは、放散虫だけでも4000種もの新種を報告している。

かくして、深海は調査に値する場所であることを確信したのが、モナコ公国の大公アルベール1世だった。1848年生まれのかれはスペイン海軍で航海と海洋調査の腕をみがき、1885年から海洋学に生涯をささげる決心をした。以後、1922年にパリで没するまでの37年間、毎年調査航海をつづけ、次々に新発見を報告した。また、チャレンジャー号の航海を体験したブキャナンという物理化学調査員を、乗員として雇用している。

7b

以上のような経緯が、モナコ海洋学博物館を飾る珍しい装飾のそれぞれに封じこめられている。ヘッケルが描いたビゼンクラゲや放散虫の図だけではない。2階の踊り場につくられた絵タイルは、深海魚の図案になっており、2階入口には深海ダコの模型が飾られている。

さて、アルベール1世が大公の位を継いだ1889年、パリはふたたび万国博に沸き返ることになった。今回のパリ万博の目玉は、何といってもエッフェル塔だったが、塔の足もとにできた小さなモナコ・パビリオンも人気の点で負けていなかった。アルベール1世が深海から採った生物標本を、パビリオンに展示したからだった。なにしろ見たこともないような不可思議きわまる生物ぞろいであるから、観客の興味を集めた。これを見たアルベール1世は、常設の展示館と研究所を合体させた海洋学博物館の創設を思いつくのだ。

かれは海洋科学のパトロンであるだけではなく、世界に知られた科学者でもあった。深海生物を捕まえる装置、とくに誘餌式落とし網、掻き立て式トロール法、水中電燈誘引式生物採取装置などを考案し、6000メートルもの深海をドレッジする大記録をうち樹てた。また、採取した生物に関する大部な報告記録も刊行している。

したがって、ぼくのような古い図鑑好きには、水族館よりも先に図書室へはいりこみたくなる衝動を覚えさせる。この博物館では国際会議場の一部に美しい図版のサンプルが展示されている。早くも1900年から刊行の始まった『モナコ大公アルベール1世科学調査航海紀要』もある。あとでこの完全揃いを古書で入手したとき、びっくり仰天した図があった。コウモリダコを描いた迫真の作である。八本足を上にして眺めると、まっ黒い悪魔の顔そのままといいたくなるほどのすさまじさだ。この深海生物はサルガッソ海3500メートル付近で採集されたという。タコでもイカでもなく、学名はVampyroteuthis infemalis すなわち「地獄の吸血イカ」というのだった。

8b

8a

そういう工合だから、ここは深海生物の標本量がものすごい。標本室をすこし見学させてもらったが、珍奇生物の物置き小屋のようであった。この死骸の瓶詰めの山が、生きた魚を飼育している水槽よりもはるかに魅惑的に感じられる。

8c

このほか、海洋学博物館内には、樽型の一人乗り潜水艦（試乗できる）だの、巨大イカの標本だの、洋上の実験設備だの、見るべきものが多い。いちばん地下にある水族館へ辿りつくまでに、1時間や2時間は消えてしまうだろう。

それならば水族館のほうはお愛嬌程度のものかといえば、とんでもない。あのアクアラングの発明者ジャック・イヴ・クストーが数10年にわたって館長をつとめたという事実を示すだけで、水族館の充実ぶりが想像できよう。ヨーロッパ3大水族館の第一に指を屈することができる施設だと思う。最初に訪問した際、水槽群の前で2時間も釘付けになったことを告白しておく。

7ab「モナコ海洋学博物館50年」、1960、2/6枚組。〈水族館の魚たち〉〈博物館ファサード〉。
8a-c「海洋博物館の魚たち」、1985、3/5枚組。〈熱帯魚の水槽〉〈パウダーブルー・サージョンフィッシュ〉〈ニシキヤッコ〉。造礁珊瑚などの無脊椎動物と熱帯魚をいっしょに飼育する換水不要水槽は「モナコ式」と呼ばれる。

世界の国々

1
5P
JOURNÉE MONDIALE DE L'ENFANT 1966
POSTE AÉRIENNE
LIBAN
15P
20P
2,50P
10
10
9

切手を蒐めだしていちばんおもしろいのは、この国にはこんなデザイン文化があったんだ！　という驚きではないでしょうか。何もイメージできなかった国名に集積されていく画像《イメージ》と印象《イメージ》。というわけでオリンピック開会式はかなり興奮状態。「トリニダード・トバコ！」などのアナウンスで浮かぶ画像の数々。切手で仕入れた情報が頭の中をグルグルします。

1 レバノン共和国「世界子どもの日」、1966、5/5 枚組。〈スキー〉〈小鳥に朝食〉〈ボート遊び〉〈勉強〉〈お風呂〉。

国名表記はアラビア語の通称「ルブナーン」とフランス語の通称「リバン」。市松模様のバスマットをひいた浴室におもちゃのアヒルちゃん。宿題をする足もとには黒い仔ネコがいて、壁のシェルフにはチビたぬきや仔ウマの人形。庭に出れば小鳥が待っていて、午前中にはスキー、午後になったらタヌキとボート（!?）。楽しいディテールがいっぱいだけれど、全体としてはすばらしくのびやかで明るく澄んだ子どもの世界がここにはあります。

レバノン 1960 年代の切手は、瑞々しい果物のセット切手、いかにも知的なメッセージ切手、洗練されたイスラム文化を表した切手があふれていて、正直かなり驚きました。それまでレバノンといえば、パレスチナ難民の流入、内戦、イスラエル軍の侵攻と、戦争に荒廃するニュース映像のイメージしかなかったからです。

レバノンは第 2 次世界大戦中 1944 年にフランスから独立し、首都ベイルートは戦後いちはやく自由経済体制を採って、中東の一大金融中心地、エアラインの中継地として、アラブ諸国のオイル・マネーが流れ込んでくる近代的で活気にみちた都市となり、「中東のパリ」と呼ばれていたそうです。

数世紀に渡ってマロン派キリスト教徒とドルーズ派イスラム教徒が政治的均衡を保ち、フランス風の自由で文化的な空気に慣れたこの国は、アラブと欧米双方の言語や商慣行を知る有能なレバノン商人で名を馳せた国だったのです。地中海からレバノン山脈まで変化に富んだ国土、豊かな農産物、良質なサービスの用意された人気の観光・保養地でもありました。昔のレバノンが戻る世界はいつやってくるのでしょうか。

1

1
CUBA AEREO
LA HISTORIA ME ABSOLVERA
1968
REFORMA AGRARIA

2
CUBA AEREO
LA HISTORIA ME ABSOLVERA
1968
INDUSTRIALIZACION

3
CUBA AEREO
LA HISTORIA ME ABSOLVERA
1968

7
CUBA AEREO
LA HISTORIA ME ABSOLVERA
1968
ERRADICACION DEL DESEMPLEO

9
CUBA AEREO
LA HISTORIA ME ABSOLVERA
1968

10
CUBA AEREO
LA HISTORIA ME ABSOLVERA
1968
SALUD PUBLICA

13
CUBA AEREO
LA HISTORIA

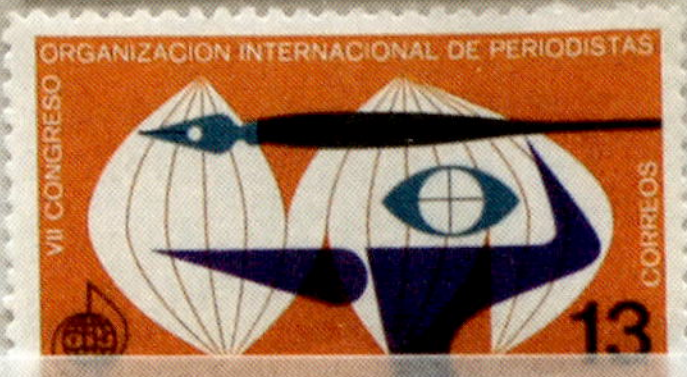
ORGANIZACION INTERNACIONAL DE PERIODISTAS
VII CONGRESO
CORREOS
13

2

4

CUBA
CORREOS
13
Congreso Cultural de La Habana 1968
RESPONSABILIDAD DEL INTELECTUAL

CUBA
CORREOS
13
Congreso Cultural de La Habana 1968
CULTURA Y MEDIOS MASIVOS DE COMUNICACION

ACTIVIDADES METEOROLOGICAS
CUBA
CORREOS
8
DIA INTERNACIONAL DE LA METEOROLOGIA-1971

3

80 – 81

5

6

7

8

9

世界の国々
キューバ共和国

1「モンカダ兵営襲撃 13 年／革命の成果」、1966、7/7 枚組。キューバの革命記念日は、当時 26 歳の弁護士だったフィデル・カストロがバチスタ独裁政権に対して行った最初の武装蜂起「モンカダ兵営の襲撃」の 7 月 26 日に定められ、毎年カストロが演説します。この切手は本の意匠を用いた明るくモダンなプロパガンダ切手で、本の表紙には、兵営襲撃で捕えられ死刑判決を受けたカストロが裁判で自ら行った弁論「歴史は私を無実とする」がタイトルとして書き込まれています。この弁論は獄中で本として執筆され出版。後の革命運動の政治要綱となったのでした。

2「第 7 回国際ジャーナリスト機構ハバナ大会」、1971。大戦後、言論の自由とジャーナリストの団結・友好を謳って結成されるも、冷戦激化により 1952 年に早くも東西（機構／連盟）に分裂。図柄の勇ましさががちょっとムナシイかも。

3「ハバナ国際文化会議」、1968、2/5 枚組。〈文学〉〈映像文化〉。世界中の文化人を招き、キューバの存在感を世界に示した一大イベント。

4「世界気象の日」、1971、1/4 枚組。〈気象観測〉。世界気象機関（WMO）が毎年テーマを設定して気象知識や国際的な気象業務を広めるキャンペーン。

5「世界子どもの日」、1968。はちきれんばかりの元気な子どもたちです。

6「子どもの歌」、1972。国立図書館児童歌唱コンクール記念の切手。音符は海の生物。

7「ハバナ世界建築会議（UIA 大会）」、1963、2/8 枚組。3 年に 1 度、世界中の建築家、都市計画家が集う大会。開催地の特性や、時代性を強く意識した企画運営に特徴が。第 7 回にして初の非欧米開催となったハバナ大会のテーマは「発展途上国の建築」でした。

8「国際子ども村（CISV）10 年」、1971。子どもたちが共同生活し、国や人種の違いを理解しつつ共生することを体得する場、「夏のヴィレッジ」を開催する非営利組織。

9「世界保健機関（WHO）25 年」、1973。

1
URUGUAY
CORREOS
8 SET. 1982
Campaña Nacional de Alfabetización
ADAMI
IMP. NAL. 82
2
LOS COROS DEL ESTE
BEETHOVEN Missa Solemnis
12º FESTIVAL DE
URUGUAY
20$
CORREOS
3
HOMENAJE A LOS MEDIOS DE DIFUSION
correos
URUGUAY
N$ 70
R. MEDINA VIDAL
IMP. NAL. 1983
4
HIMNO NACIONAL DE LA REPUBLICA ORIENTAL DEL U
¡O-rien-ta-les, la Pa-tria o la tum
¡Li-ber-tad, o con glo-ria mo-rir!
y que he-ro-i-cos sa-bre-mos
15$
URUGUAY CORRE
5
27$
CORREO AEREO
50 ANIVERSARIO DE LA INSULINA
DESCUBIERTA POR BANTING Y BEST
AÑO INTERNACIONAL DE LA SALUD
URUGUAY
6
ARMADA NACIONAL
0.60
PUESTOS A ENCOMIENDAS
7
PRIMERA COMUNICACION
TELEFONICA 1876 1976
URUGUAY
CORREOS
8
EN
LIBERTAD
EL ORDEN
CAIDOS EN CUMPLIMIENTO DEL DEBER
10$
CORREOS URUGUAY
MEDINA
9
REPUBLICA ARGENTINA
25 AÑOS
ALPI
CORREOS
20
10
UNESCO
10 PESOS
11
DERECHOS
12
ARGENTINA
1 PESO
A DE LA MADRE
HECTOR VIOLA DIB.
13
CASA
CRUZADA ESCOLAR POR LA PAZ MUNDIAL
5c
CORREOS
REPUBLICA ARGENTINA
ARGENTINA
14
25º ANIVERSARIO DE ENTEL
70c
REPUBLICA ARGENTINA
15
F.D. ROOSEVELT
INSTITUTO COLOMBIANO
NO nos compadezca
AYUDENOS
CTVS 10
16
20 PESOS
75º ANIVERSARIO
PATRONATO DE LA INFANCIA
Pa de la i
REPUBLICA ARGENTINA
17
20 PESOS
REPUBLICA ARGENTINA
YCF

世界の国々
ウルグアイ東方共和国
アルゼンチン共和国

1 ウルグアイ（以下 U）「識字率向上キャンペーン」、1982。20世紀初頭、バッジェ・イ・オルドーニェス大統領により、スイスをモデルにした社会経済改革が行われ、世界でもいちはやく福祉国家化を達成したウルグアイは、南米でもっとも安定した国のひとつであり、90年代には識字率も95%以上を誇っていました。現在も高福祉で政治的自由度の高い社会を保っています。

2 U「東方ウルグアイ合唱友の会フェスティバル」、1972。首都モンテビデオには世界的演奏者が多く公演を行うギリシャふうのソリス劇場があるお国柄。

3 U「メディア」、1990、1/4枚組。〈本〉。

4 U「国歌」、1971。ウルグアイの国歌は世界一長い！ 歌詞が11番まであり、演奏時間は5分弱。オペラのような壮大な序曲だけでも1分。「われらは常に叫ばん、自由、自由、自由を！」と合唱・独唱で歌い上げるとんでもない大曲です。

5 U「インスリン発見50年」、1972。

6 U「海軍150年」、1968、1/4枚組。〈燈台とライトブイ〉。

7 U「電話100年」、1978。

8 U「殉死警官への敬意」、1971。

9 アルゼンチン（以下 A）「小児麻痺克服協会25年」、1968。

10 A「ユネスコ20年」、1967。

11 A「世界人権年」、1968。

12 A「母の日」、1959。

13 A「平和のための青年十字軍」、1947。

14 A「電話網開通25年」、1973。

15 コロンビア「？」、1962。

16 A「児童支援団体 Padelai75年」、1967。

17 A「国営鉱山リオ・トゥルビオとザプラ製鉄所」、1968、1/2枚組。〈鉱山〉。

18 U「世界子ども会議50年」、1984。楕円のカラーマークもキュート。

19 U「世界こどもの日」、1979。

20 A「子どもの遊び」、1983、2/5枚組。〈石蹴り遊び〉〈マーブル玉遊び〉。

＊ウルグアイ羊切手の数々はp.126です。

MIEL
R. DAVIDSON
ALGODON
CAFE
MEXICO EXPORTA
$100
CORREOS
TOMATE
CITRICOS
MEXICO EXPORTA
$200
CORREOS
ZAPATOS
GANADO Y CARNE
MEXICO EXPORTA
$ 7
CORREOS
TEQUILA
PRODUCTOS QUIMICOS
CONDUCTORES ELECTRICOS
MEXICO EXPORTA
$ 1
CORREOS
BICICLETAS
CITRICOS
Ag Pb Zn CaF2 Cl2
MINERALES
MEXICO EXPORTA
$ 5
CORREOS
MEXICO EXPORTA
$ 8
CORREOS
MEXICO EXPORTA
$ 9
CORREOS
CONDUCTORES
PARTES AUTOMOTRICES
MEXICO EXPORTA
50¢
CORREOS
LIBROS
MEXICO EXPORTA
$40
CORREOS

84 – 85

1

2

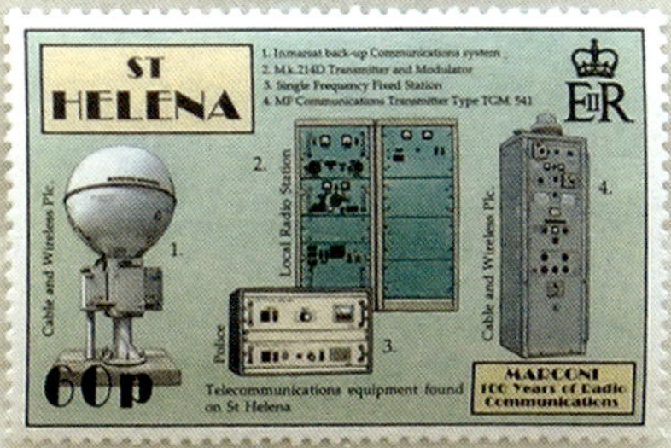

3

4

世界の国々
メキシコ合衆国
ブラジル連邦共和国
英領セントヘレナ
英領モンセラト

1 メキシコ「メキシコの輸出産業」、1975年と1979年に発行されたシリーズ。（1981、82年に再発行も）。ひじょうに洗練されたデザイン。殊にイチゴやトマト、コーヒーカップがぐっときます。1970年代、石油危機のさなかに発見されたメキシコの巨大石油資源は世界経済に大きなインパクトを与え、先進国首脳が次々メキシコ詣でを。このシリーズは82年のメキシコ金融危機前の、メキシコ経済最盛期の勢いを物語っています。

2 ブラジル「サン・パウロ文化テレビ放送20年」、1989。

3 セントヘレナ「マルコーニ・ラジオ放送100年」、1996、1/2枚組。〈ケーブル＆ワイヤレス社製短波送信機〉。（西アフリカ沖の島ですが色につられてここに置いてしまいました、スミマセン）。ラジオ・セントヘレナの放送開始は1967年、マルコーニ社製送信機を使った中波放送でした。同局にはケーブル＆ワイヤレス社の短波送信機もあり、アマチュア無線家の要望に応え、この機械を使った1年に1度だけの短波放送「セントヘレナ・デー」を1992年から実施。この短波を受信することがアマチュア無線家たちの憧れに。老朽化による機械の廃棄で一時中断していましたが、無線家有志の募金により2006年復活。この切手は憧れのマシーン図だったのでした。

4 モンセラト「クリスマス切手／カリブのカーニヴァル」、1983、3/4枚組。〈花をもつダンサーたち〉〈仮面の舞踏〉〈クリスマス・ツリーに扮したダンサーたち〉。カリブ海アンティル諸島の火山島。「カリブの小エメラルド島」と呼ばれるのは、緑に覆われた島影のためだけではなく、アイルランドのカトリック教徒や政治犯の流刑地だったという歴史によるもの。アイルランドと同じく「聖パトリックの日（アイルランドにキリスト教をもたらした聖人の祝日）」を公祝祭日にし、聖人を象徴する緑色の服を着てカリビアン・ミュージックで祝います。

中南米の60年代
グラフィックアートと郵便切手

加藤 薫

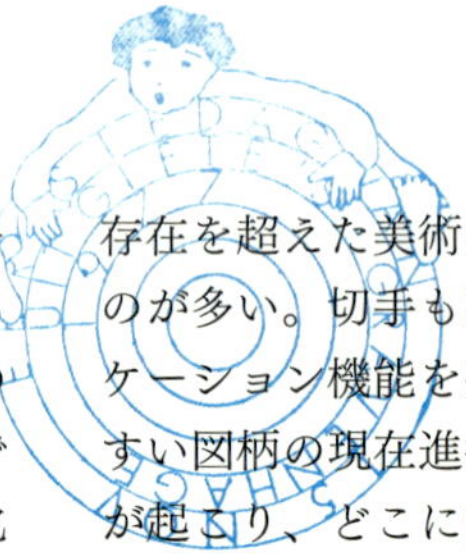

普段から郵便切手のフィラテリー（収集・研究者）として活動しているわけではない。だが、こと中南米の切手となると、情報の少ない小国であってもその国の政治・経済・文化の表徴として解読する楽しみがあるので気には留めている。素晴らしいできばえのものがあるとそれこそ美術品や文化財として伝えなければという思いにも駆られる。

1960年代とは、大量生産・大量消費の資本主義経済がグローバルに浸透してゆく一方、そのひずみや格差の拡大に眼をむけ、対抗原理を声高に推し進める流れも顕在化した激動の時代であり、また大国支配の冷戦構造にも翻弄された時期である。

1959年に社会正義の実現のための革命を達成したカリブ海の小国キューバは、経済的には窮地に陥っていたにもかかわらず、グラフィックアートを武器に第三世界の脱殖民地化を鼓舞した。60年代に発信されたキューバ製ポスターやちらしは紛争にあけくれるアフリカのアンゴラ、アジアのベトナム、中米ニカラグア、南米ボリビアなどでそれこそ何百万枚もばらまかれたが、単なる政治プロパガンダのツールとしての存在を超えた美術品として秀逸なものが多い。切手も国民へのコミュニケーション機能を強調し、わかりやすい図柄の現在進行形で今社会で何が起こり、どこに向かい、何を解決しようとしているのかを国民目線で提示している。世界で最初の郵便切手が権威の象徴である英国のビクトリア女王の肖像を使用したことを考えればまさにその対極にあるものだろう。

キューバもそうだがカリブ海諸国はアフリカから連れてこられた黒人系人口が多く、文化伝統に色濃く投影されている。切手の図案にもその風俗をストレートにあしらったものが多く、西欧支配者の存在を脱構築している。モンセラトの切手など、祝祭の場面を図案化したのだろうが観光的にも楽しそうで一度は訪れたくなる。

南米ウルグアイの国名は先住民語の「鳥の飛来する川」に由来し、ラプラタ川の東側に位置する。鳥ではないが19世紀後半から様々な国からの移民が到来してきた。無国籍風のおおらかな風土に特色があり、サッカーの第1回W杯大会が開催された国としても有名だ。早々と20

世紀初頭から民主主義制度が根づき、また知識を持つ中産階級層が多い。人口の集中する首都モンテビデオは文化度も高くてレストランのメニューひとつ見てもグラフィックアートの質が高いことがわかる。よく楽譜が切手の図案に使われるが、その楽譜を見て何の曲かを理解し、そこから切手のメッセージを解読するという知的な切手が発行されるのもウルグアイならではのことである。

メキシコは第二次世界大戦中の輸入代替工業化に成功し、50年代から60年代にかけて大成長を遂げた。1968年のメキシコ・オリンピック開催はその明の部分の象徴であり、70年代初頭にはさらに大油田も発見され、輸出大国に転身を遂げた。マスメディアの興隆や流通商品の増大に伴いグラフィックデザインも発展し、大胆で斬新な試みが許される環境は切手のデザインにもおおいに反映された。

50年の進歩を5年で達成しようと急速な工業化を推し進めたブラジルも60年代には「ブラジルの奇跡」と呼ばれる高度発展を達成した。首都ブラジリアの建設はまさにその象徴だが、切手にも国策としての科学技術振興の成果を反映したものが多い。

アルゼンチンは1955年のペロン大統領失脚後、慢性的な政情不安に陥っていた。軍の政治介入や党派の攻防、弾圧の歴史を反映してグラフィックアートや切手の図案からは注意深く政治性が排除されている。結果として無難な子供や中立的なモノを図案にあしらったものが多かったが現在では大分変わってきているようだ。

1 レネ・メデロス『僕は教師になるために勉強する』、1971。
2 エルネスト・パドロン『ベトナムとともに』、1971。

1

2

1

GOOD HEALTH
A BASIC RIGHT
OF EVERY CHILD
PAISA
POSTAGE 15
PAKISTAN পাকিস্তান پاکستان

2

PAKISTAN
UNIVERSAL CHILDREN'S DAY 6-10-1969
پاکستان
পাকিস্তান
20
PAISA
POSTAGE

YOUNG HUMAN RESOURCES: THE KEY TO NATIONAL DEVELOPMENT
UNIVERSAL CHILDREN DAY- 4th OCT. 1971
20
PAISA
POSTAGE
PAKISTAN پاکستان পাকিস্তান

3

PAISA 15
POSTAGE
পাকিস্তান پاکستان PAKISTAN
2nd OCTOBER 1966
UNIVERSAL CHILDREN DAY

5

DECADE OF DEVELOPMENT
1958
1968
15
PAISA
POSTAGE
PAKISTAN پاکستان পাকিস্তান

4

পাকিস্তান PAKISTAN پاکستان
DECADE OF DEVELOPMENT
1958
1968
NATIONAL ASSEMBLY
POSTAGE
10
PAISA
UNION COUNCIL
UNION COUNCIL
UNION COUNCIL
LEADERSHIP TH

DECADE OF DEVELOPMENT
1958
1968
60
PAISA
POSTAGE
PAKISTAN پاکستان পাকিস্তান

6

POSTAGE
20
PAISA
ERNATIONAL BOOK YEAR 1972

8

विश्व पुस्तक मेला III WORLD BOOK FAIR
1.00
भारत INDIA
1978

बालदिन
15
nP
14-11-60
INDIA POSTAGE
INDIA SECURITY PRESS

7

世界の国々 パキスタン・イスラム共和国ほか

1 パキスタン(以下P)「世界こどもの日」、1968。〈すべての子どもに健康と基本的人権を〉。

2 P「世界こどもの日」、1969。

3 P「世界こどもの日」、1971。〈若者という資源は国の発展の鍵〉。

4 P「世界こどもの日」、1966。美しい兄妹。みょうに唇が朱い…。

5 P「1958-1968、10年間の進歩と発展」、1968、3/4枚組。〈農業〉〈鉱業〉〈選挙制度〉(もう一枚は戦闘シーン)。

6 P「国際図書年」、1972。寺院で指導者とともに教典を読む子どもたち。穏やかで澄んだ空気が感じられます。

7 インド共和国「ニューデリー国際ブック・フェア」、1978。

8 インド「子どもの日」、1960。

9 インドネシア共和国「5ヵ年計画」、1969、10/10枚組。〈社会福祉事業〉〈輸出入〉〈衣料品工業〉〈教育〉〈宗教団体〉〈農業〉〈保健〉〈学問研究〉〈漁業〉〈統計学〉。

10 P「地方議会選挙」、1970。

11 P「世界こどもの日」、1967。東パキスタンの粘土の玩具。

1947年、インドがイギリスの植民地から独立する際に、イスラム教徒の国として分離独立したパキスタンは、初め英連邦王国に属するも1958年、アユーブ・ハーンが軍事クーデターによって独裁政権を樹立、英連邦から離脱しました。アユーブ・ハーン軍政下で民間主導型の高度経済成長が始まり社会資本が蓄積されましたが、60年代後半から地域格差の拡大や官僚・財閥の汚職への批判から反政府運動が高まり、69年アユーブ・ハーンは失脚。軍政は続行されたものの、70年初の成人普通選挙が行われました。ここにある切手はそういう時期に発行されたものです。様々なタイプの画風が乱立している上に、知識がなくてまだ何も摑めずにいるのですが、なぜか心惹かれるパキスタンの切手です。

1

2

3

4

5

6

7

8a

8b

9

10

11

12

13

世界の国々
ベトナム

北＝ベトナム民主共和国発行
南＝ベトナム国
無印＝1976年南北統一後の
ベトナム社会主義共和国発行

1 北「農業経済」、1970。
2 北「ベトナム・中国友好」、1965、1/2枚組。〈旗をもつ少女たち〉。
3「世界食料デー」、1982。
4 北「国民女性会議」、1961、2/2枚組。
5「党大会の決定を実現させる」、1987、1/3枚組。
6「民兵の仕事」、1981と1982。
7「国際連合食糧農業機関（FAO）国際会議」、1960、1/2枚組。
8ab 南「ベトナム女性の社会的地位」、1969、3/4枚組。〈女学生、職業婦人たち〉〈祭りの日〉〈市場の女性〉。
9 南「革命3周年」、1966、1/4枚組。〈稲穂を抱える女性と兵士、農民たち〉。
10 北「山間部を経済的にも文化的にも発展させよう」、1965、3/3枚組。〈トウモロコシの授粉技術〉〈歓迎される開発アドバイザー〉。
11 北「ベトナム女性連合20年」、1966。ベトナム共産党は1930年の創立時から男女同権を党紀に明記し、女性連合を設立、独立の直後46年に「ベトナム女性連合」が創立されました。米軍の北爆が始まった1965年には、女性連合も「バーダムダン（生産・戦闘・家庭の3つの担当）運動」を開始、当時の北ベトナムのすべての社会生活の場面で主体たらんとしたのでした。現在もNGOとして女性の職業訓練や母子保健、小規模融資など女性たちの現実に即した活動を続けています。
12 北「家畜の飼育」、1962、2/4枚組。〈ブタ〉〈ニワトリ〉。
13 南「子どもの日」、1958、2/5枚組。

勝利は絶望的と誰もが考えた超大国との戦争は、世界中の家庭のTVに毎日戦況が中継され、もの静かななかに凛としたたたずまいを失わないベトナム女性たちの姿は、強い印象を与えました。戦時下に発行されたベトナム切手のなかで、彼女たちはやはり静かに微笑みながら、自分の仕事を果たしています。

1

4 xu
thống nhất
BƯU CHÍNH
VIỆT NAM

5 xu
thống nhất
BƯU CHÍNH
VIỆT NAM

30 xu
thống nhất
BƯU CHÍNH
VIỆT NAM

3

2

VIỆT NAM
BƯU CHÍNH
12

VIỆT NAM
BƯU CHÍNH
6 xu

BƯU CHÍNH
12
Việt Nam

KỶ NIỆM NGÀY QUỐC TẾ THIẾU NHI
1.6
1977
BƯU CHÍNH

4

VIỆT NAM
BƯU CHÍNH
12
1976·1980
HK 1978

VIỆT NAM
BƯU CHÍNH
12
1976·1980
HK 1978

VIỆT NAM
BƯU CHÍNH
6
1976·1980
HK 1978

VIỆT NAM
BƯU CHÍNH
12
1976·1980
HK 1978

VIỆT NAM
BƯU CHÍNH
6 xu
1976·1980
HK 1978

5

VIỆT NAM
BƯU CHÍNH
30

6

VIỆT NAM
3đ
BƯU CHÍNH

7a

CỘNG HÒA MIỀN NAM VIỆT NAM
BƯU CHÁNH
20 xu

8

VIỆT NAM
12
BƯU CHÍNH
TUYẾN THÔNG TIN THỐNG NHẤT

VIỆT NAM
12
ĐƯỜNG SẮT THỐNG NHẤT

9

10

11

12

7b

世界の国々
ベトナム

北＝ベトナム民主共和国発行
南＝ベトナム国
無印＝ 1976 年南北統一後の
ベトナム社会主義共和国発行

1「統一ベトナム地図」、1977、3/5 枚組。1954 年に南北に分断されてから、75 年のアメリカ軍撤退まで 21 年もかかった国家統一の記念切手を、こんなふうにささやかな光景にデザインするのはベトナム切手ならではです。色違いのバリエーションの付け方も、ちょっと他では見られません。

2「花」、1977、3/4 枚組。

3「世界子どもの日」、1978、1/2 枚組。〈ダンスをする子どもたち〉。

4「5ヵ年計画 1976-1980」、1979、5/10 枚組。

5 北「世界環境デー」、1982、1/2 枚組。子どもたちと樹を植えるのは、〈ホーおじさん〉でしょうか。

6「猫年」、1987。こちらも、ホーおじさん？ ベトナムの干支では兎年→猫年となります。ほかにも猪は豚、羊は山羊、牛は水牛です。

7ab 北「南ベトナム共和国革命臨時政府樹立 2 周年」、1971、2/5 枚組。〈学校教育〉〈旗を縫う〉。

8「通信の日」、1980、2/2 枚組。

9 北「ホー・チ・ミン労働青年団結成 40 周年」、1971。

10 北「工場労働者」、1970、1/4 枚組。〈織物労働者の手〉。

11 北「中華人民共和国建国 10 年」、1959。

12「ベトナム社会主義共和国」、1979、1/3 枚組。〈国歌〉。

嵩のある柔らかな紙に、スモーキーだけれど明るい色彩で刷られたベトナム切手には独特の魅力があります。戦争中とその復興期、士気向上のための切手やポスター類には、精一杯の才能と物資が配分されていたのでした。しかしベトナムのプロパガンダは不思議と風通しがいい。「瓜」や「落花生」など、他の国にはない身近なモチーフの切手にも良いものがたくさんあります。

ベトナム切手の中の女性たち

後小路 雅弘

ベトナム近代絵画の特徴として、女性が多く描かれていることが挙げられる。独立以前のフランス植民地時代には、都市のモダンライフを謳歌するアオザイ姿の優美な女性たちが、油絵や絹絵、そしてベトナム独特の漆絵の技法で描かれ、ベトナム近代絵画の魅力となっている。

1945年日本の敗戦を受けて、ホー・チ・ミンが独立を宣言、そこから、ベトナムの人々は再植民地化を目論むフランスを相手に第一次インドシナ戦争を、続いて南ベトナムを建国、維持しようとするアメリカと第二次インドシナ戦争あるいは抗米戦争（アメリカ側の用語で「ベトナム戦争」）を、長期にわたって戦わなければならなかった。したがって本書が主な対象としている1960年代後半の切手が作られたのは、米軍によるいわゆる「北爆」によって抗米戦争が激化していく時代にあたる。

この時代には、繊細優美な女性像に代わって、自ら銃を取って戦う強い女性たちの姿が美術作品にしばしば登場し、他方で抗米救国のスローガンに彩られた手書きの宣伝ポスターが多数制作され、そこにも女性たちの戦いが描かれている。そのまま切手にも引き継がれるポスターの中の女性たちは、強くしたたかであるとはいえ、いつも優美さを失わない抑制の効いた表現になっている点は、ベトナム近代美術の特性を示すものだ。

ベトナムの歴史をひもとけば、それは外敵との果てしない戦いの歴史である。とくに歴代中国王朝による被支配の時代は長く、その戦いはいくつもの伝説を残した。その伝説の英雄たちの中にも、チュン姉妹（1世紀に後漢軍と象にまたがり戦ったと言われる伝説の英雄）やチュウ夫人（3世紀、呉の軍勢に、自ら象に乗り兵を率いて戦いを挑んで破れた英雄的ヒロイン）のように女性たちが目立つ。彼女たちの姿は、正月に各家庭を飾る民衆版画のヒロインとしていまも生きている。その伝統は、近代の外敵との戦いに受け継がれ、ゲリラ戦で活躍する女性たちを、米軍は「ロングヘア・アーミー」と呼んで怖れたと言われ、その「長い髪の兵士たち」は抗米救国のプロパガンダ・ポスターの主役となって、とかく図式的な型通りの表現に陥りがちなプロパガンダに彩りを与えている。

民衆の生活に生きる図像が、プロ

1

2

パガンダ的なアートにもこだまするのがベトナム近代美術の面白いところでもある。そもそもホー・チ・ミン主席を、ベトナムの人々が親しく「ホーおじさん」と呼び習わす事自体、権威的に偶像化されがちな共産主義圏の指導者としては異色だが、まるで吉祥画の老人のようにホーおじさんが気さくに村の子どもたちと遊ぶ姿は、ベトナム人なら誰でも描けるほど人気の図像で、これも切手のモチーフになる。

さて、時代は変わり、今日ハノイの街では、プロパガンダ・アートがおみやげ物として大流行で、そのほとんどは抗米戦争時代の手書きポスターを新たに複製印刷したものか、昔のスタイルを真似た「新作」である。そうしたポスターをデザインしたさまざまなグッズも人気が高い。かつての厳しい戦争も商売にしてしまうしたたかさもまたベトナム庶民の強さを示すものだろう。

1 フィン・ヴァン・ガム『リエン嬢』、1962年、ベトナム国立美術館蔵。革命を主題とした作品で知られるフィン・ヴァン・ガムはまた家族や女性たちを描いた肖像画でも高い評価を得ている。この作品は、ベトナム独特の画法である漆画で描かれた、凛として優雅な若いベトナム女性像。
2 ファム・ミン・チー『人民に永遠の春をもう一度』、ポスター原画（水彩・紙）、1975年、福岡アジア美術館所蔵。

1

우리는 행복해요
1963
조선우표
2전

우리는 행복해요
1963
조선우표
10전

우리는 행복해요
1963
조선우표
10전

우리는 행복해요
1963
조선우표
5전

2

10전
조선우표

조선우표
10전

10전
조선우표
1961

5전
조선우표

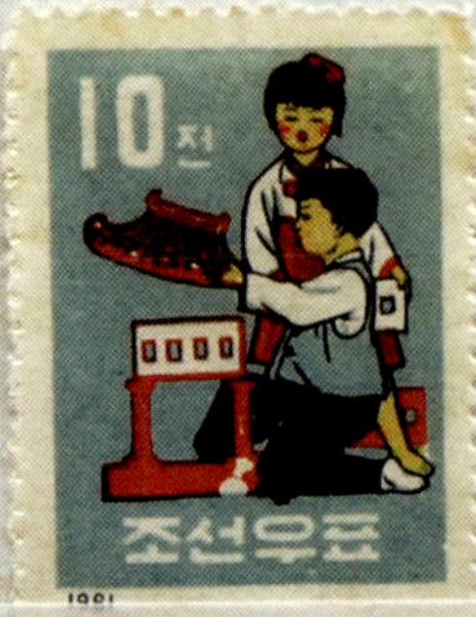
10전
조선우표
1961

3a

4a

10전
조선우표
1965

10전
조선우표
1965

4전
조선우표
1965

世界の国々
朝鮮民主主義人民共和国

5

3b

4b

1「幸せな子供時代」、1963、4/4 枚組。〈学習〉〈音楽演奏〉〈林間学校〉〈スポーツ〉。
2「幼稚園」、1963、2/2 枚組。〈幼稚園の先生〉〈保母さん〉。
3ab「子供の生活」、1961、5/5 枚組。〈ボール遊び〉〈苗木を植える〉〈積み木セットでお家を組み立て〉〈計算帳でお勉強〉〈平和の旗〉
4ab「放課後活動」、1965、4/4 枚組。〈音楽〉〈科学の実験〉〈ボクシング〉〈工作〉。
5「絵画」、1976、1/5 枚組。〈母と子〉。

ここに見られるコレクションは、朝鮮民主主義人民共和国のこどもたちの豊かな生活を描いたものであります。

赤いネッカチーフをまいているのは、朝鮮少年団と呼ばれる、小学生を対象とした政治組織に所属しているしるしです。ソビエト連邦のピオネール、中華人民共和国の少年先鋒隊のような、正しい共産主義少年のあかしなのであります。

切手に描かれた女の子たちのなかには、洋式のスカートのほかに、朝鮮の伝統的な女性用のスカート、チマの丈を短かめにした、新時代仕様のチマをはいている子もいます。これで、ボール遊びも、駆けっこもできる。新しい社会の彼女たちは、活動的なのです。

4 は、課外活動を描いていますが、切手の右上に見える図形は、平壌学生少年宮殿の正面を描いた意匠であります。平壌の優れたよいこたちは、放課後ともなると、宮殿内に設けられた音楽室、実験室、運動場、そして工作室などで、それぞれ腕をみがかなければなりません。ここで訓練された優秀なよいこたちは、たとえば海外公演などを通して、朝鮮民主主義人民共和国というユートピアに生まれたことの幸せを、世界に向かって、饒舌にアピールするのでした。(武田雅哉)

10分
中国人民邮政
8分
中国人民邮政
4分
中国人民邮政
8分
中国人民邮政
10分
中国人民邮政
4分
中国人民邮政
8分
中国人民邮政
8分
中国人民邮政
20分
中国人民邮政

98 − 99

世界の国々
中華人民共和国

2

3

1「子供たち」、1963、9/12 枚組。〈豆卓球選手〉〈声の研究〉〈こままわし〉〈花の刺繍〉〈砂あそび〉〈さんざし飴〉〈子供のおまわりさん〉〈大刀で得意満面〉〈凧あげ〉。

2「子供の生活」、1958、4/4 枚組。〈水あそび〉〈鬼ごっこ〉〈ひまわり〉〈母と子〉。

3「民間の玩具」、1963、3/9 枚組。〈ラクダ〉〈ニワトリとヒツジ〉〈ウサギとこけし〉。

中国は、「幸福な子供」というテーマの文学芸術の制作を奨励しました。社会主義の国家のもとで、十分な教育を受け、栄養たっぷりな食べ物を享受し、なに不自由なく暮らす子供たちの姿を内外にアピールすることは、ユートピアを標榜するこの国の、たいへん重要な政策でした。

2 の「子供の生活」シリーズは、剪紙（切り絵）の手法を用いた絵柄です。「鬼ごっこ」では、ふたりがお面をかぶっていますが、京劇のお面です。槍を構えてそれを追う子供のお面は、孫悟空でしょうか。ヒマワリは、種が食用になり、無数の種は子だくさんを象徴しますが、毛沢東の象徴である太陽のある方向にいつも顔をむけているという意味で、共産党に忠実な人民を象徴しています。

中国人は、おもちゃ作りの天才でもあります。かれらは火薬を発明しておきながら、その後の努力を、ミサイルやロケットという巨大科学の発展にささげることはそれほどなく、むしろ花火というおもちゃを発展させせることに費やしたのでした。

（武田雅哉）

1

中国人民邮政
8分
人民公社好

8分
中国人民邮政
T.39 (5-4)
1979
北京邮票厂印制

2

一切工作都是为了革命
8分
中国人民邮政
特75.10-1
服务行业中的妇女
<435>1966

4b

中国人民邮政
气球探空
8分

3

4a

世界の国々
中華人民共和国

1「人民公社はすばらしい」、1959、12/12 枚組。〈農業生産〉〈商業〉〈医療〉〈共同食事〉〈学習〉〈子どもの生活〉〈工業化〉〈軍事〉〈幸福〉〈娯楽〉〈老後の安定〉〈人民公社はすばらしい〉。
2「人民公社の〈五業〉を発展させよう」、1979、1/5 枚組。〈副業（藤編み）〉。
3「気象」、1978、2/5 枚組。〈ラジオゾンデ〉〈コンピューター予報〉。
4ab「公共サービスに従事する女性たち」、1966、7/10 枚組。**a**〈バスの車掌〉〈移動販売委員〉〈農村の保健員〉〈郵便配達員〉〈食堂従業員〉〈幼稚園の保母〉。**b**〈働く女性たち〉。

1「人民公社はすばらしい（人民公社好）」は、毛沢東が人民公社を視察した際に発声したと言われるおことば。このシリーズでは、そのあれやこれやのすばらしさを具体的に説いています。

切手はその小さなカンヴァスの中に、重要な情報とメッセージを込めています。**4a**〈働く女性たち〉で、みんなが手にしているのが、白地に赤い題簽の毛沢東の著作集ですが、〈移動販売委員〉がみずからも読むためポケットに入れているものも、売るために背負っているものからも、この著作集の一部がのぞいています。〈郵便配達員〉の自転車には、『人民日報』（共産党の機関紙）と『紅旗』（共産党の機関誌）が、読まれるべきものとして描き込まれています。このシリーズでは、９つの職種で活躍する女性を描き、最後の１枚 **4b** では、その９人が勢ぞろいして記念撮影というようになっています。そこで前列の４人は毛沢東の著作を抱え持っています。女性労働者の力強さを物語るひとつの例として、〈食堂従業員〉を見てみましょう。彼女は右の手で箸の束をわしづかみにし、左の手では、大きく白米が盛られた二つのお碗をつかんでいます。次から次へと食堂に入ってくる、お腹をすかせた人民に対応するには、このくらいでなければならないのです。

（武田雅哉）

1

8分
60分
中国人民邮政
T.41(6-3)
1979

3a

8分
中国人民邮政

2

中国人民邮政
35
1975

4

8分
中国人民邮政

3b

1「少年たちよ、子供のときから科学を愛そう」、1979、6/6 枚組。〈模型飛行機〉〈医学知識〉〈天体観測〉〈気象観測〉〈昆虫採集〉〈模型の船〉。

2「第３回全国体育大会」、1975、1/7 枚組。〈新しい力の成長〉。

3ab「子供のスポーツ」、1966、8/8 枚組。**a**〈柔軟体操〉〈手旗と射撃の練習〉。**b**〈かけっこ〉〈ゴム跳び〉〈サッカー〉〈卓球〉〈氷上のすべりっこ〉〈水泳〉。

4「新中国の児童」、1975、3/5 枚組。〈紅小兵〉〈壁新聞を書く〉〈学習に励む子供〉。

子供たちの生活を描いたもの。赤いネッカチーフは、よいこでなければ入れない、共産党の組織、少年先鋒隊のしるしです。子供たちはとにかくかわいいのですが、基本的には、手足はむっちり、丸い顔にリンゴのほっぺ、です。髪はショートか、編んで結ぶのがおしゃれです。流れるような長髪などは、労働をしない女どもが跋扈する、資本主義世界の象徴なのでした。

1 は文化大革命が終息して、それまで虐げられていた「科学」が提唱された時期のもの。**4** これは文革期のもの。このページの中では、文革時期の政治プロパガンダ臭のもっとも強いものといえましょう。左端は、年長の女の子が、下級生の男の子に、赤いネッカチーフを首に巻いてあげています。子供の世界を描いた小説や映画でも、優秀な女性が、いろんな意味で幼い男性を導くというのが、社会主義建設物語の定番です。遠景の広場では、子供たちが集い、政治活動のまね事をしているのでしょうか。中央は、壁新聞を書く子供たちですが、かれらはまさしく「林彪批判·孔子批判」という、文革期の主要な活動のひとつに従事しているのでした。右端の切手で、女の子が書いている字は「好好学習、天天向上（よく学び、日に日に向上しよう）」という、毛沢東が少年たちにあたえた文句であり、教室の教壇の上に、毛沢東の肖像と並んで掲げられていたものでした。**3** よいこは、お勉強ばかりできてもだめなのです。スポーツにも専念し、りっぱな体を作らなくてはなりません。（武田雅哉）

ユートピアのかわいい主人公

武田雅哉

いかなる分野をとっても「人類の中で一番！」になってしまいかねない、恐るべき中華文明でありますが、「カワイイもの」の造形についても、その力量には、あなどれないものがあるといわざるをえないでしょう。

中国人が、たいへん子供を大切にする民族であることは、よく言われていますが、子供を使ったプロパガンダもまた、これを得意とするお国柄。古代には、道端でうたわれる子供の歌が実は世相批判や政変を予言しているという「童謡《わざうた》」がありますが、子供の口から世界の転変を語らせるという方法は、文化大革命の終息時にも用いられた歴史記述の方法であります。

中華人民共和国の歴史は、大きく1949年の建国から1966年の文化大革命発動までの17年間、文革の10年間、そして文革終息以降の、三つの時期にわけられます。さまざまな媒体に乗せられたプロパガンダアートを含む美術作品のテーマをはじめ、あらゆる分野

1

の文化現象の流行り廃《すた》りもまた、この三つの時期で、それぞれ顕著な特徴を有しています。

なんといっても、おっとりのんびりした表情の子供たちがかわいいのは、建国後17年間という、社会主義ユートピア建設の明るい希望が主要テーマとなっていた時期のイラストでしょう。この時期の児童文学なども、主人公はちょっとおっちょこちょいだったり、勉強嫌いだったり、不完全な子供ならではの愛らしい成長をテーマとしています。絵柄も戯画化されたものや、ディズニーアニメやソ連の絵本の影響を受けたようなものもありました。

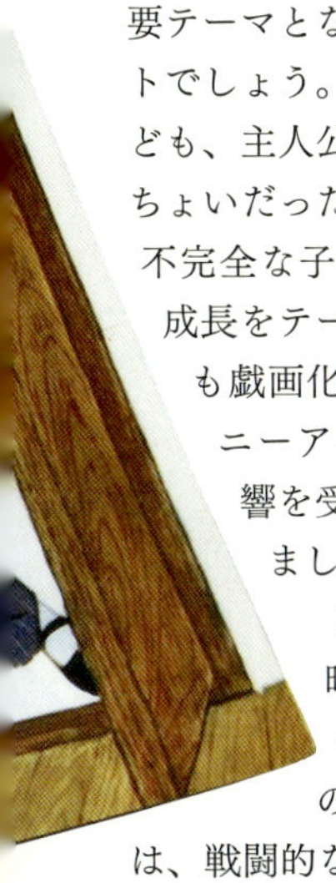

これが、文化大革命の時期になると、様相が一変します。特に文革の前半期（60年代後半）には、戦闘的な厳しい表情の子供たちが、紅衛兵のまね事をして、政治闘争ごっこに明け暮れ、「悪玉」たちをやっつける場面が好んで描かれました。絵柄はリアリズム一辺倒となります。かれらには「小さな大人」であることが求められたわけです。文革も後半期（70年代前半）に入ると、政治プロパガンダはいささか柔らかい口調で語られるようになり、あいかわらず政治活動に余念のない子供たちにも、いくぶんゆるやかな笑顔が戻ってきます。

文革の後始末も落ち着いた80年代には、文革の荒廃した教育環境か

1『画報にのった先生』李欽写、秋鳴画、1964。お正月、幼稚園のみんなが先生の家に遊びに行き、先生の写真が載っている一冊の画報をみつけました。「どうして先生がのっているの？ どんなおはなしなの？」先生は、子供の頃、地主に迫害された辛いお話をしてくれました…。

2『小英（シャオイン）　農務にがんばる』、嘉定県児童文学創作学習班、斯学元写、胡永凱画、1976。文化大革命時代、紅衛兵の小英は、農村でブタの飼育係になろうとの決意を固めています。ところが、新時代の青年の理想を理解しないおばあちゃんは、許してくれません。小英が勉強するために集めた参考書を、隠してしまいました…。

ら脱し、恵まれた条件下で教育を受ける子供たちがテーマとなり、特に自然科学に関心を持つ子供たちが好んで描かれます。

また、家庭に縛られず、外の世界で働く女性というのも、好んで描かれたテーマです。汚く辛い力仕事——たとえばブタの飼育——を担当させられた、若い知識青年の元気いっぱいの娘さんが、だんだんそれに嫌気が差してきます。それを見た先輩——たいていは、おじいさんの農民——が、旧社会の悪弊を説き聞かせ、諭します。これを聞いた娘さんは、深く反省し、自分の考えを改め、成長していくというパターンのおはなしが、新中国においては、山ほど書かれています。もともと女性は昔から、男以上に働いていたのですが、新中国においては、「天の半分を支える」などという耳ざわりのよい男女平等のスローガンにおだてられ、本来は男性がしていたような仕事までやらされました。

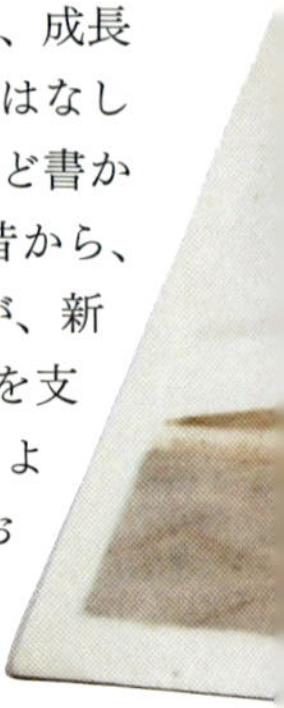

3

3『労働が大好き』本社編、汪福民、陳【王其】芸画、1973。冬（トン）くんは、子供図書室の本を、うっかりやぶってしまいました。図書係の宝（パオ）ちゃんは、先生からのりとハサミを借りてきてくれました。ふたりは一緒に本の修繕を始めます。

4『みんなであそぼう』『大家一起玩』任大星写、鄭国英画、1962。亜梅（ヤーメイ）ちゃんと李強（リーチァン）くんは、自転車で遊んでいました。ふたりのお姉さんが、厚紙を切って操り人形を作りました。これを使って、みんなで影絵芝居をやりましょう。

「この時代、女たちは損を喰った！」と、中国のある女性作家が書いていました。

切手は、同時代に描かれたプロパガンダ作品の縮小版、ないしは一部切り取り版となっています。切手の絵柄は、おおむね、同時期のポスターの中にみいだされるものです。

1

60 GR
POLSKA
·KRÓL MACIUŚ PIERWSZY·
JANUSZ KORCZAK
22 · 7 · 1879 — 5 · 8 · 1942
5 60 ZŁ
POLSKA
·KRÓL MACIUŚ PIERWSZY·
JANUSZ KORCZAK
22 · 7 · 1879 — 5 · 8 · 1942
2 50 ZŁ
POLSKA
·KRÓL MACIUŚ PIERWSZY·
JANUSZ KORCZAK
22 · 7 · 1879 — 5 · 8 · 1942
1 ZŁ
POLSKA
·KRÓL MACIUŚ PIERWSZY·
JANUSZ KORCZAK
22 · 7 · 1879 — 5 · 8 · 1942
90 GR
POLSKA
·KRÓL MACIUŚ PIERWSZY·
JANUSZ KORCZAK
22 · 7 · 1879 — 5 · 8 · 1942

2

POLSKA
POLSKA
DZIEŃ ZNACZKA POCZTOWEGO
60 GR
9-X-1959

3

15-LECIE LUDOWEGO WOJSKA POLSKIEGO
VIRTUTI MILITARI
60 POLSKA GR
15-LECIE LUDOWEGO WOJSKA POLSKIEGO
ZA POLSKĘ WOLNOŚĆ I LUD
40 POLSKA GR
15-LECIE LUDOWEGO WOJSKA POLSKIEGO
2 50 POLSKA ZŁ

4

2 50 ZŁ
48 KONFERENCJA MIĘDZYPARLAMENTARNA
WARSZAWA 1959

5

6

V ŚWIATOWY FESTIWAL MŁODZIEŻY
40 POLSKA GR
V ŚWIATOWY FESTIWAL MŁODZIEŻY
WARSZAWA SIERPIEŃ 1955
25 POLSKA GR
V ŚWIATOWY FESTIWAL MŁODZIEŻY
60 POLSKA GR

7

8

9

10

11

12

13

世界の国々 ポーランド共和国

1「ヤヌシュ・コルチャック歿後 20 年」、1962、5/6 枚組。遺作童話「マチウシ１世」(1923) の、自分の国をすべての子どもたちが幸福な国にしようと健気に思い詰める少年王マチウシの冒険を描いた、優しく儚い挿絵（イェジー・スロコフスキ画）。ユダヤ・ゲットーの孤児院院長だったコルチャック先生は、ナチスの収容所へと移送されるその日、「もっとも幼い子どもの手をとり、200 人の子どもたちの先頭に立って駅にむかった」「最年長の少年が孤児院の旗をたかだかと掲げていた。それは、子どもたちの自由を象徴する緑色の旗だった」。緑はマチウシ王が子どもたちの旗に使いたがっていた色、森の樹々の色でした。

2「切手の日」、1959、2/2 枚組。

3「ポーランド人民軍 15 年」、1958、3/3 枚組。

4「第 48 回列国議会同盟ワルシャワ会議」、1959、2/2 枚組。

5「ワルシャワ国際切手展示会」、1957。

6「第 5 回青年学生ワールド・フェスティバル、ワルシャワ」、1955、3/6 枚組。会場はワルシャワにそびえる文化科学宮殿。「スターリンからポーランド人民への贈り物」としてソビエトから派遣された設計士と 3,500 人の労働者により建設された、42 階建て室数 3,288 というとてつもない規模の摩天楼です。あからさまなスターリン・ゴシック様式でワルシャワっ子にはソッポを向かれていましたが、その大ホールは西側文化の窓口として、ローリング・ストーンズやマイルス・デイヴィスの公演が行われたりもしていました。

7「ポーランド建国千年祭に向けて千の学校を」、1959、2/2 枚組。66 年、建国千年祭が祝われました。記念事業のキャンペーン？

8「パリ、ユネスコ本部落成」、1958。

9「世界平和運動 10 年」、1959。

10「ポーランド・スキー競技 50 年」、1957、3/3 枚組。

11「切手の日」、1958。

12「ウィンタースポーツ学生選手権」、1956、3/3 枚組。

13「国際地球観測年」、1957-58、2/2 枚組。

DEUTSCHE BUNDESPOST
20 +10
Erholungsplätze für Berliner Kinder
DEUTSCHE BUNDESPOST
10 +5
Erholungsplätze für Berliner Kinder
DEUTSCHE BUNDESPOST BERLIN
20
Deutsche Rundfunk-, Fernseh- u. Phono-Ausstellung
25 AUG - 3 SE
DEUTSCHE BUNDESPOST
Für die Jugend
12 F +6
SAAR LAND
DEUTSCHE BUNDESPOST
Für die Jugend
SAAR LAND
15 F +7
DEUTSCHE BUNDESPOST
BERLIN
40
DEUTSCHE BUNDESPOST
BERLIN
20
DEUTSCHE BUNDESPOST
BERLIN
DEUTSCHE BUNDESPOST
BERLIN
7 +3
INTERNATIONALE GARTENBAUAUSSTELLUNG 1961
DEUTSCHE DEMOKRATISCHE REPUBLIK
20
INTERNATIONALE GARTENBAUAUSSTELLUNG 1961
DEUTSCHE DEMOKRATISCHE REPUBLIK
10
INTERNATIONALE GARTENBAUAUSSTELLUNG 1961
DEUTSCHE DEMOKRATISCHE REPUBLIK
40
25
FRAUENKONGRESS DER DDR 25.-27. JUNI 1964
DDR
70
FRAUENKONGRESS DER DDR 25.-27. JUNI 1964
DDR
20
FRAUENKONGRESS DER DDR 25.-27. JUNI 1964
DDR

1
2
3
4
5
6
7

世界の国々
ドイツ

西＝ドイツ連邦共和国
東＝ドイツ民主共和国
ベルリン＝米英仏共同管理地区

1 西「ベルリンの子どもたちの休暇のために」、1957、2/2枚組。第2次世界大戦の戦後処理の結果、東ドイツの中の飛び地になってしまった西ベルリンの子どもたちがのびのびとした休暇を過ごせるようにと発行された寄付金付き切手。

2 ベルリン「第22回ドイツ放送展」、1961。ラジオ・テレビ・録音の最先端技術を紹介する展示会。この切手発行の10日後、増大する西ベルリンへの脱出者を阻むため、東ドイツ政府は東西ベルリンの境界線を封鎖。「ベルリンの壁」が築かれました。

3 ベルリン市の紋章がクマです。

4 西「青少年寄付金切手／民謡」、1958、2/2枚組。〈キツネよガチョウを盗んだね〉〈クアプファルツの狩人〉。日本では「こぎつねこんこん山のなか…」の可愛らしい歌詞で親しまれる歌ですが、元歌は「キツネよ、盗んだら撃ち殺されるよ、ヤメナサイ」というチョトこわい教育モノ。

5 ベルリン「ベルリンの子どもたちの休暇のために」、1960、4/4枚組。

6 東「エアフルト国際園芸展示会」、1961、3/3枚組。展示会場はツィリアクスブルク要塞。19世紀末から政府の資金調達のために園芸用地として貸し出されていました。要塞内の籠城用大貯水槽が便利だった由。展示会後、改修されてドイツ造園博物館が開館しました。

7 東「東ドイツ女性会議」、1964、3/3枚組。〈技術者〉〈畜産業〉〈母と子〉。

8 東「国際平和自転車レース」、1962、3/3枚組。〈ベルリン／赤の市庁舎〉〈ワルシャワ〉〈プラハ城〉。中欧の3都市を結び、「東のツール・ド・フランス」と呼ばれて人気を博した自転車レース。1989年以降は資金難から断続的な開催になっています。

9 ベルリン「第23回ドイツ放送展」、1963。

10 東ベルリンの象徴的建造物だったテレビ塔（1966年完成）のピン・バッジ。

11 東「ライプツィヒ見本市」、1966、2/2枚組。

8

10

9

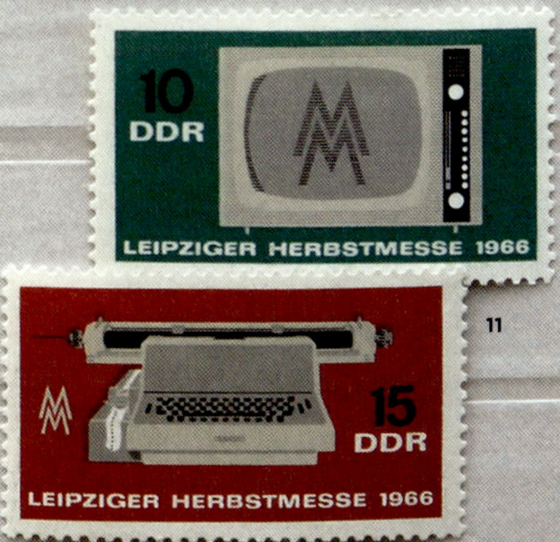

11

1
ČESKOSLOVENSKO
SLOVENSKO
1.60
ČESKOSLOVENSKO
SLOVENSKO ČIČMANY
1.40
ČESKOSLOVENSKO
ČECHY
BLATA
1.20
ESKOSLOVENSKO
SLOVÁCKO
30h
2
VIỆT-NAM DÂN-CHỦ CỘNG-HÒA
30 XU
MÚA NÓN
BƯU-CHÍNH
VIỆT-NAM DÂN-CHỦ CỘNG-HÒA
50 XU
MÚA DÙ
BƯU-CHÍNH
VIỆT-NAM DÂN-CHỦ CỘNG-HÒA
12 XU
MÚA SẠP
BƯU-CHÍNH
3
3.50
DANMARK
3.75
DANMARK
VIỆT-NAM DÂN-CHỦ CỘNG-HÒA
MÚA RÔNG CHIÊNG
4
6c VOLENDAM +4
NEDERLAND
12c HINDELOOPEN +9
NEDERLAND
8.75
DANMARK
16 CT.
ПОЩА
НР БЪЛГАРИЯ
ПЛЕВЕНСКА
45 ST.
СОФИЙСКА
NR BULGARIA
POSTA
30c HUIZEN +9
NEDERLAND
8c BUNSCHOTEN +4
NEDERLAND
5

112 – 113

6

7

1 チェコスロバキア「民族衣装」、1956、4/4 枚組。〈スロバキア地方／ノヴォラドの女性〉〈スロバキア地方／チチマニーの女性〉〈南ボヘミア地方／ブラタの女性〉〈スロバキア地方の女性〉。レースやリボン、刺繍と色彩の華やかさで名高いチェコの民族衣装。下段に刺繍のモチーフが描かれるなど 1956 年のものとは思えないキュートなデザイン。左端の御簾のようなかぶり物が気にナル。

2 北ベトナム「民族舞踏」、1962、4/4 枚組。〈タイ族の笠の踊り〉〈ムン族の竹の踊り〉〈メオ族の日傘の踊り〉〈エイ族のドラの踊り〉。戦時下にこんなにも晴朗でたおやかな切手が。約 60 というベトナム少数民族の文化の多様性が生き生きとデザインされています。

3 デンマーク「民族衣装と装身具」、1993、3/4 枚組。〈ファルスター島〉〈アマー島〉〈レム島〉。483 もの島のある国です。

4 オランダ「子どもたちのために／民族衣装の子どもたち」、1960、4/5 枚組。〈フォレンダムの少女〉〈ヒンデローペンの少女〉〈ホイゼンの少女〉〈ブンショーテンの少年〉。16-17 世紀と、かなり古くからのスタイルが残されている由。

5 ブルガリア「民族衣装」、1961、2/6 枚組。〈プレヴェンの女性〉〈ソフィアの女性〉。14-19 世紀の長きにわたってトルコ帝国の支配を受けたため、スラブとトルコ、タタールの要素が混ざり合っています。

6 チェコスロバキア「チェコとスロバキアの風習」、1975、2/4 枚組。〈春の祭り／モレナ〉〈小さな女王たち〉。ともに春の祭り。〈モレナ〉は異教的な死の神で、この神の支配する冬の終わりを祝って藁人形を掲げて練り歩き、最後は川に流します。〈女王〉は太古の女族長制を模した祭りで、着飾った女性たちが豊作を祈って歌い踊ります。

7 ブルガリア「民族衣装」、1968、2/6 枚組。〈ロヴェチ地方〉〈イフティマン地方〉。

1a

1ab ソ連の伝統的民具マッチ・セット。**b** は函を閉じたところ。色彩豊かな民芸品の数々。

2

2 ソ連「民芸品」、1963、4/4枚組。〈エストニアの革細工〉〈マトリョーシカほか木の人形〉〈カフカス地方ダゲスタンの銀器〉〈ウクライナの陶器〉。

マトリョーシカを初めに作ったのは画家マリューチンと、ろくろ師ズビョズドチキンで、モスクワの工房「子どもの教育」での製作でした。日本のこけしやだるまの「入れ子」アイディアが取り入れられたという説もあります。1900 年のパリ万博で銅賞をとり、ロシア各地でさかんに作られるようになりました。

1b

3 ソ連のスイカこけし 2 人組。お口ぽかん。

4 スウェーデン「クリスマス切手」、1978、3/6 枚組。〈ダーラ・ホース〉〈独楽〉〈水樽を牽く馬〉。ノルウェーの不思議映画『キッチン・ストーリー』に、スウェーデンの家庭調査協会がやってきて、「ノルウェー独身男性台所行動パターン調査（実話…！）に応じたら馬をあげる」というので受け入れてみると、貰えたのはこのダーラ・ホースでガッカリという、とぼけた中にもスウェーデン人とノルウェー人のビミョーな心理関係がほの見えるシーンがありました。

5 オランダ「子どもたちのために／祝日の行列」、1961、3/5 枚組。〈棕櫚の主日〉 復活祭前の日曜日、棕櫚やオリーブの枝を手に歩きます。〈顕現日〉 → p.45。〈聖マルティン祭〉11 月 11 日。自分のマントを裂いて乞食に半分与えたというマルティヌスを讃え、子どもたちがランタンを掲げて行進し、お菓子をもらいます。彼は初めて農村伝道を行った聖人とされていて、この日は収穫を終えた農民たちの休日でもあります。

6 東ドイツ「昔からの玩具」、1981、6 枚組ミニシート。〈くねくね蛇 1850 年代〉〈テディベア 1910 年代〉〈お風呂金魚 1935 年代〉〈木馬 1850 年代〉〈カッコウ車 1800 年代〉〈跳ねガエル 1930 年代〉。精巧で上質なドイツ製の玩具は、世界の親たちが子どもに与えたがり、さかんに輸出されました。ぬいぐるみのシュタイフ社、クリスマス・オーナメントのワグナー社など、その多くはファミリー・ビジネスでしたが、工夫と研鑽を重ね、長く世界に愛されるものを作りました。

1

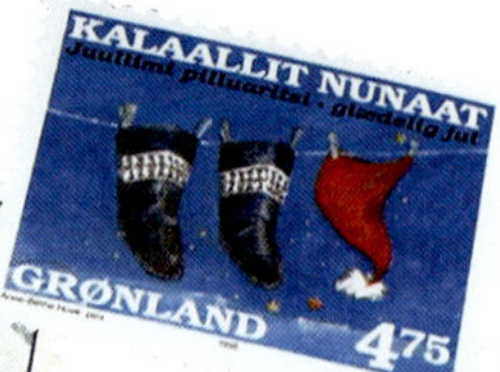

2

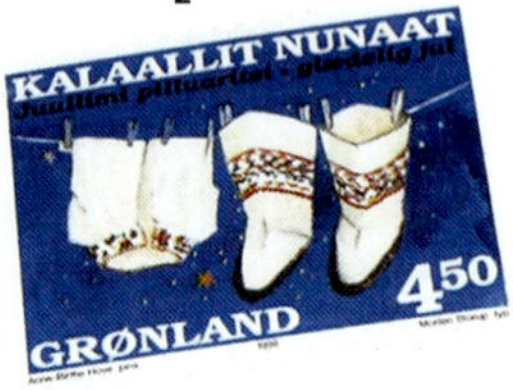

1 デンマーク王国の自治領グリーンランド（以下G）の住人、カラーリット（イヌイット）の子どもを描いた1921年の「シンデレラ切手」。（「切手のような体裁をしているが、郵便料金証書としては使えない刷り物」で、額面がありません）。

2 G「クリスマス切手／サンタクロースとその妻のクリスマス用の服」、1998、2/2 枚組。国名表記は、デンマーク語の「グリーンランド」と、グリーンランド語「カラーリット・ヌナート（「人の島」の意）」が併記されています。

3

3 フィンランドの写真家ティーナ・イトコネンの写真集『イヌイット』（2004）。「Ultima Thule（最北の地、遠い未知の国を意味する）」をテーマに、グリーンランドの氷河や、北極圏に住む人々を撮影した作品集。アイスブルーの氷河と家々、イヌイットの人々の、内気だけれど陽気さをひめた力強い顔立ち、明るく澄んだ色彩にみちた彼らの室内のようすなど、作品１点１点も、写真集としての連なりもすばらしい1冊です。

4

4 G「野獣捕獲者の年」、1987。

5

6

7

5 G「国際児童年」、1979。この切手に惹かれて、極地に暮らす人たちに興味をもつようになりました。

6 G「シンデレラ切手」。デンマーク・イヌイットのすばらしい民族衣装を見事に生かしています。グリーンランドはデンマーク王国に属するため王家の肖像切手も多数発行されていますが、女王も皇太子一家もこのイヌイットのセーターを身につけていてなかなかいい感じです。

7 ソ連「民族衣装 II」、1961、1/5 枚組。〈コリヤーク族〉。カムチャッカ半島から大陸部にかけて居住する人々です。

8 ソ連のピンバッジ。

9 ソ連「国内の民族的スポーツ種目」、1963、1/4 枚組。〈トナカイ・レース〉。

8

9

極地に生きる人びと

10

11

12

10 カナダ「イヌイットⅠ」、1977、1/4 枚組。〈待ち伏せ漁撈〉積み石の堰を築いて魚を追い込み、独特の角製の「やす」で突きます。1977 年から第 4 集まで出されたイヌイットの生活と文化シリーズ切手。

11 カナダ「イヌイットⅢ」、1979、2/4 枚組。〈コミュニティ〉〈夏のテント〉。夏のテントはアザラシの皮でできていて、中から見上げると透き通って空の蒼が映えています。イヌイットの社会は 12、3 人の小家族を最小単位とし、食糧の量に従って集散離合を繰り返して厳しい自然を乗り超えていきますが、夏には大集落を作り、歌ったり踊ったりゲームをしたりして人との交わりを楽しみます。人間関係の緊密なイヌイットの人々にとって、いつもにこにこしていることは大切なことで、「陽気で開放的な物腰、いつも笑顔でいきいきとした会話とジェスチャーを忘れないのはあるべき姿とされ」、不機嫌な顔を続けたり、掟をやぶると、からかいや嘲りの歌でとっちめられてしまうのでした。

12 イヌイットのハンドメイド人形。

13 ベルギー「アントウルペン動物園の動物たちⅠ」、1961、1/6 枚組。〈オオジカ〉。

14 ベルギー「ベルギーの知的遺産」、1966、1/7 枚組〈ベルギー王立気象研究所〉。

15 スウェーデン「北欧切手／サーミ人の民族衣装」、1989、2/2 枚組。〈毛織りの晴れ着〉〈男性用のベルトポーチ〉。サーミ人はスウェーデン・ノルウェー・フィンランド・ロシアにまたがるスカンジナビア半島～コラ半島最北部の地域で主にトナカイを追って暮らす人々です。独立国はもちませんが、サーミ語を話す人々の選挙からなるサーミ人会議をもち、半国家として 4 ヵ国から一定の自治を認められています。（かつての呼称「ラップランド人」は、現在は使われません）。

13

14

15

16 1936 年出版の写真集『ラップランドの子どもたち』。スウェーデン系と思われる作者ソォラ・ソォルマルクは、アメリカでサーミ人やトナカイを追う旅についての本や児童書を残した女性です。

16

17 サーミ人を描いた絵皿。1939 年ニューヨーク博覧会のスーヴェニール。

17

I wish you a Merry X'mas and Happy New Year !

もっとも手紙がやりとりされるクリスマスと新年のための切手、ここではブルガリアのニューイヤー切手を。民族衣装を彩る刺繍を思わせるブルガリア切手独特の切り紙絵ふうのイラストは、新年を祝う切手、国際関係関連の切手に多く使われました。

1「ニューイヤー切手 1990」、1989、1/2 枚組。〈雪だるま〉。

2「ニューイヤー切手 1989」、1988、2/2 枚組。〈クリスマス・ツリーとシカ〉〈シカのミトンと雪の結晶〉。

3「春」、1966、4/6 枚組。1月10日発行の新春切手で、春のお祭りあれこれ、というセット。〈花瓶〉。〈ラザルカ〉聖ラザルの日（p.115「棕櫚の主日」の前日）に、村の家々を回って踊る少女たちをラザルカと言います。自作の衣装をまとい、自分が家事上手なことを歌い、嫁入り準備のできていることをアピールします。〈ガイダ〉ヤギの皮で作られたガイダ（バグパイプ）は、ブルガリアのフォークダンス、結婚式などにその音色が欠かせない民族楽器。〈マルテニッツァ〉3月1日は春のお祭りで、赤と白の糸で作ったボンボンのようなお守り「マルテニッツァ」を親しい人と贈りあいます。ブローチや首飾り、ブレスレットにして3月じゅう身につけていて、コウノトリを見たら木に結ぶそうです。赤は邪悪なものを遠ざけ、白は健康・長寿・平安を意味する由。またこの日は「マルタ（3月）おばあさん、おめでとう」と挨拶します。月の名で、女性名詞なのは3月だけだからです。

4「ニューイヤー切手 1980」、1979。お嬢さん、前髪が鳩です。

5「欧州安全保障協力機構、ヘルシンキ宣言署名 10 周年」、1985。ヨーロッパの国境不可侵と安全保障、経済協力に関するヘルシンキ宣言が採択され全欧安全保障協力会議が発足したのが 1972 年。冷戦後は名称を改め、加盟国も増えて、民主主義の体制・基本的人権を守る国際機関として重みを増しました。

6「ニューイヤー切手 1976」、1975、2/2 枚組。〈平和の鳩〉〈クリスマス・オーナメント〉。

7「ニューイヤー切手」FDC、1967。〈バクリッツァ／伝統的な木製のワイン容器〉〈クリスマス・ツリー〉。

クリスマス・シート

チャリティー用のクリスマス・シールやクリスマス・シートもさかんに発行されています。デンマークのクリスマス・シールは特に有名で、シート全体だけでなく、切り離した断片すべてがちゃんと１枚の絵として完成されたイラストになっているすばらしく巧みなデザインです。

1 デンマーク「クリスマス・シート」、1955。深い茄子紺の背景に浮かぶ金の穂と白い小鳥の図案が上品で豪華なクリスマス・シート。切り離してみると、小鳥１羽１羽が、風になびく穂を小道具に、表情ゆたかに描かれていることがわかります。

クリスマス・シートのはじまりは、デンマークの郵便局員、エイナー・アイナル・ホルベル（1865-1927）のアイディアでした。

1900 年当時、ヨーロッパでは結核が猛威をふるい、貧しさのために満足な治療を受けられずに苦しむ子どもたちの存在が社会問題になっていました。

郵便局員ホルベルは、仕事場で幸せなひとたちがやりとりするクリスマス・カードの山を仕分けしながら、これだけの人が結核の子どもたちのために少しずつでも募金をしてくれれば、沢山の子どもを助けられるのに、と思わずにはいられなかった由。そして彼はある日、切手の横に添えて貼る募金シールを作って売るというアイディアを思いつき、局で上申しました。1903 年に企画は採用され、1904 年からデンマーク郵便局は毎年絵柄の違うクリスマス・シールを製作・発行することになったのです。

1904 年から 1950 年までは同じ絵柄のシール 50 枚のシートでしたが、1951 年から１枚の絵を目打で 50 枚に分割するスタイルになり、魅力をさらにますことになりました。

この募金方法は世界中に広まり、たくさんの国がクリスマス・シートによる募金活動を始めました。赤十字社にも取り入れられて「複十字シール」が誕生。アメリカでは複十字シールとイースター・シールを毎年発行しています。

クリスマス・シート＋

郵便はがき

料金受取人払

板橋北局承認

349

差出有効期間
平成27年1月
10日まで
（切手不要）

1748790

板橋北郵便局
私書箱第32号

国書刊行会 行

フリガナ ご氏名		年齢	歳
		性別	男・女
フリガナ ご住所	〒　　　TEL.		
e-mail アドレス			
ご職業		ご購読の新聞・雑誌等	

❖小社からの刊行案内送付を　□希望する　□希望しない

愛読者カード

❖お買い上げの書籍タイトル：

❖お求めの動機

1. 新聞・雑誌等の広告を見て（掲載紙誌名：　　　　　　　　　　　　　）
2. 書評を読んで（掲載紙誌名：　　　　　　　　　　　　　）
3. 書店で実物を見て（書店名：　　　　　　　　　　　　　）
4. 人にすすめられて　5. ダイレクトメールを読んで　6. ホームページを見て
7. ブログや Twitter などを見て
8. その他（　　　　　　　　　　　　　）

❖興味のある分野に○を付けて下さい（いくつでも可）

1. 文芸　2. ミステリ・ホラー　3. オカルト・占い　4. 芸術・映画
5. 歴史　6. 宗教　7. 語学　8. その他（　　　　　　　　　）

＊通信欄＊

本書についてのご感想（内容・造本等）、小社刊行物についてのご希望、編集部へのご意見、その他。

＊購入申込欄＊

書名、冊数を明記の上、このはがきでお申し込み下さい。代金引換便にてお送りいたします。（送料無料）

書名：　　　　　　　　　　　　　　　　　　　冊数：　　　冊

❖最新の刊行案内等は、小社ホームページをご覧ください。ポイントがたまる「オンライン・ブックショップ」もご利用いただけます。 http://www.kokusho.co.jp

---

＊ご記入いただいた個人情報は、ご注文いただいた書籍の配送、お支払い確認等のご連絡および小社の刊行案内等をお送りするために利用し、その目的以外での利用はいたしません。

3

1

2

1 デンマーク「クリスマス・シート」、1954。雪の降りつむなか、鳩と遊ぶ子どもたち。冬の寒さと暖かさが両方つまっているような画面です。

2 デンマーク「クリスマス・シート」、1960。これはほんとうにすばらしい仕上がり。大型客船が航行する港から、街、人々が雪遊びをする郊外、農家の納屋まわり、そして林のなかで冬を生きている鳥、小動物、キツネの夫婦はたったいま獲物を捕らえ、大木のうろではフクロウの親子が目を見開き、空にかかる白い大きな太陽（それとも月？）を、渡り鳥がよぎっていきます。すべてのものを俯瞰しながら、ひとつひとつのものを鮮明に捉えている不思議な視覚。レイモンド・ブリッグス原作のアニメーション『スノーマン』の、こわいような楽しいようなイヴの滑空を思い出させます。

3 デンマーク「クリスマス・シール」、1926。麦の穂を手にクジラの背に乗る子ども。なにかのお話？

各国が毎年クリスマスを飾るようになったとはいえ、やはり1950-60年代のデンマーク・クリスマス・シートのデザインは群を抜いています。

デンマーク郵政が、本筋の切手発行においては1983年まで1色刷り凹版というストイックすぎるスタイル（→ p.18）を堅持する一方で、クリスマス・シートでは思いきり楽しく可憐な多色刷りデザインを発行していたことに驚くとともに、ふだんは堅実、クリスマスは募金集めを楽しい気持ちでという、いかにもデンマークらしい良き現実主義にあらためてリスペクト。

クリスマス・シート ++

5

1 デンマーク「クリスマス・シート」、1963。クリスマスの準備をする子どもたち。ひとりとしておんなじ子はいません。赤白のハートは「クリスマス・ハート」と呼ばれる２色の紙で編んだ篭で、キャンディやクッキーを入れてツリーに飾ります。国章が「王冠と３頭のライオンと９つの赤いハート」、コイン（下写真）にも王立鋳造所鋳造の証であるハート刻印があるなど、デンマークはハート・マークのあふれる国なのでした。

2 デンマーク「クリスマス・シール」、1948。

3 デンマーク「クリスマス・シール」、1949。

4 デンマーク「クリスマス・シール」、1933。

5 デンマーク「クリスマス・シール」、1929。

6 デンマーク「クリスマス・シール」、1938。

7 デンマーク「クリスマス・シール」、1937。

6

7

明るいミライ

1
URUGUAY
5$
15$
LANA NATURAL: INSUSTITUIBLE
S.U.L.
URUGUAY
5$ CORREOS
2
URUGUAY
N$ 2
VIII CONFERENCIA MUNDIAL HEREFORD PUNTA DEL
EXPOSICION GANADO HE
PRADO, MONTEVIDEO
3
N$ 20.-
LANAS
CORREOS
URUGUAY
EXPORTA CALIDAD
4
NEW ZEALAND
4D
5
UAR
EGYPT
CAIRO
10 M
ČESKOSLOVENS
8D
NEW ZEALAND
1882-1957
6
UAR
EGYPT
7
8
1971
UAR
UAR
AIR MAIL
AIR MAIL
9
FESTIVAL of the COTTON
25 FESTIVAL of the
10

60·70年代は、企業が競い合う市場経済の資本主義vs.国がすべてを管理する計画経済の社会主義、どちらが豊かでハッピーな社会を作れるかを競いあう時代でした。宣伝は企業がするものである資本主義国は切手の世界では不戦敗。本領発揮の社会主義国プロパガンダ切手がユートピアめざして怒濤の生産活動を展開しています。

1 ウルグアイ「メリノ種飼育」、1971。

2 ウルグアイ「羊毛工業」、1971、2/2枚組。〈羊毛製品の輸出〉〈羊毛から布地へ〉。羊からストライプ布、チェック柄布が織り出されるポップなデザインは、外国人に会うと「お国にはヒツジが何頭？ ウシが何頭？」と訊ねる人が多いという牧畜業国ウルグアイの切手。1955-70年には羊毛と牛肉の輸出額が全輸出額の75-80%を占めていた由。

3 ウルグアイ「世界ヘレフォード種ウシ会議」、1980。病気に強く、南米で多く飼育されているウシです。

4 ウルグアイ「輸出品」、1986。

5 ニュージランド「ヒツジの輸出」、1957、2/2枚組。温暖化対策が牛や羊のおなら＆ゲップを抑制する牧草開発であるというこちらニュージーランドも羊大国。宗主国イギリスがECに加盟してしまい貿易に危機が訪れる70年代以前は、牧畜を中心とする農産物輸出によって高福祉国家を建設していました。

6 チェコスロバキア「社会主義建設の継続」、1985、1/3枚組。〈織物工業〉。

7 エジプト「カイロ世界綿花会議」、1958。

8 エジプト「エジプト革命6周年」、1958、1/5枚組。〈織物工業〉。

9 エジプト「エジプト綿」、1971。

10 アラブ連合共和国「綿花フェスティバル」、1958、2/2枚組。60年代前後にたくさんの綿花切手、紡績切手が発行されているのは、この時期、農業国から工業国へ離陸を進めている国が多かったため。18世紀末の産業革命がそうであったように、20世紀中盤の産業革命もまた原料が豊富で工業化への設備投資が少額で済む綿紡績業を手がかりにしたのでした。

11 ウルグアイ「ウルグアイの畜産業」FDC、1967。〈ロムニー・マーシュ種〉〈オーストラリアン・メリノ種〉。切手もカシェも初日消印も全てがヒツジ愛にみちたFDC、すばらしい！

1962
К 1980 году
ПРОДУКЦИЯ ХИМИЧЕСКОЙ ИНДУСТРИИ ВОЗРАСТЕТ ПРИМЕРНО В 17 РАЗ, В ТОМ ЧИСЛЕ ПРОИЗВОДСТВО МИНЕРАЛЬНЫХ УДОБРЕНИЙ– В 9-10 РАЗ, СИНТЕТИЧЕСКОГО ВОЛОКНА ПРИМЕРНО– В 15 РАЗ.
4К ПОЧТА СССР
РЕШЕНИЯ XXII СЪЕЗДА КПСС-В ЖИЗНЬ
1962
К 1980 году
ОБЩИЙ ОБЪЕМ ПРОИЗВОДСТВА ПРОДУКЦИИ МАШИНОСТРОИТЕЛЬНОЙ И МЕТАЛЛООБРАБАТЫВАЮЩЕЙ ПРОМЫШЛЕННОСТИ ВОЗРАСТЕТ В 10-11 РАЗ. БУДЕТ ПОСТРОЕНО 2800 НОВЫХ МАШИНОСТРОИТЕЛЬНЫХ И МЕТАЛЛООБРАБАТЫВАЮЩИХ ПРЕДПРИЯТИЙ И РЕКОНСТРУИРОВАНО
4К ПОЧТА СССР
РЕШЕНИЯ XXII СЪЕЗДА КПСС-В ЖИЗНЬ
1962
К 1980 году
ЗНАЧИТЕЛЬНО УВЕЛИЧИТСЯ ПОГОЛОВЬЕ СКОТА И ПТИЦЫ. ПРОИЗВОДСТВО МЯСА ВОЗРАСТЕТ ПОЧТИ В 4 РАЗА, МОЛОКА – ПОЧТИ В 3 РАЗА
1960г. 1970г. 1980г.
В МИЛЛИОНАХ ТОНН
МЯСО 8,7 25 30-32
МОЛОКО 61,7 135 170-180
4К ПОЧТА СССР
РЕШЕНИЯ XXII СЪЕЗДА КПСС-В ЖИЗНЬ
1962
К 1980 году
ВАЛОВОЕ ПРОИЗВОДСТВО ЗЕРНА УВЕЛИЧИТСЯ БОЛЕЕ ЧЕМ В 2 РАЗА. ЗНАЧИТЕЛЬНО ВОЗРАСТЕТ ПРОИЗВОДСТВО ПШЕНИЦЫ, КУКУРУЗЫ, КРУПЯНЫХ И ЗЕРНОБОБОВЫХ КУЛЬТУР.
1960г. 1970г. 1980г.
8,2 14 18-19
4К ПОЧТА СССР
РЕШЕНИЯ XXII СЪЕЗДА КПСС-В ЖИЗНЬ
1962
К 1980 году
БУДЕТ ПОЛНОСТЬЮ УДОВЛЕТВОРЕНА ПОТРЕБНОСТЬ НАРОДНОГО ХОЗЯЙСТВА И НАСЕЛЕНИЯ В ПЕРЕВОЗКАХ ПУТЕМ СОГЛАСОВАННОГО РАЗВИТИЯ ВСЕХ ВИДОВ ТРАНСПОРТА
4К ПОЧТА СССР
РЕШЕНИЯ XXII СЪЕЗДА КПСС-В ЖИЗНЬ
1962
К 1980 ГОДУ ПРОИЗВОДСТВО ЦЕМЕНТА УВЕЛИЧИТСЯ БОЛЕЕ ЧЕМ В ПЯТЬ РАЗ. БЫСТРОЕ РАЗВИТИЕ И ТЕХНИЧЕСКОЕ СОВЕРШЕНСТВОВАНИЕ СТРОИТЕЛЬНОЙ ИНДУСТРИИ ОБЕСПЕЧАТ ОГРОМНЫЕ МАСШТАБЫ КАПИТАЛЬНОГО СТРОИТЕЛЬСТВА.
ЦЕМЕНТ В МИЛЛИОНАХ ТОНН
1960г. 1970г. 1980г.
45,5 122 233-235
4К ПОЧТА СССР
РЕШЕНИЯ XXII СЪЕЗДА КПСС-В ЖИЗНЬ
1

СЛАВА ПОКОРИТЕЛЯМ ЦЕЛИНЫ!
ЦЕЛИНОГРАД
4 КОП. ПОЧТА СССР 1962
СЛАВА ПОКОРИТЕЛЯМ ЦЕЛИНЫ!
4 КОП. ПОЧТА СССР 1962
2a

ВСЕМИРНЫЙ ДЕНЬ ЗДОРОВЬЯ
ПОЧТА СССР·1963
2К
КАЖДЫЙ ИЗ НАС ИМЕЕТ ПРАВО НА ОТДЫХ
ВСЕМИРНЫЙ ДЕНЬ ЗДОРОВЬЯ
ПОЧТА СССР·1963
10К
У НАС САМЫЕ ЗДОРОВЫЕ ДЕТИ В МИРЕ
3a

2b

3b

きたるべき社会 ソビエト社会主義 共和国連邦

1「ソビエト共産党第 22 回党大会新綱領採択／国民経済の発展 I・II」、1962、3+6 枚組。かっこよすぎるロシア・アヴァンギャルド切手。緊張感あるデザインと、ソ連切手の特徴である明るく澄んだ色彩が組み合わさってすばらしい仕上がりです。しかして〈家畜〉の切手には**「1980 年までには家畜・家禽の総数は著しく増大する。食肉の生産は約 4 倍に、乳の生産は約 3 倍に成長する。1960 年には肉：8.7 トン、乳：61.7 トン。1970 年には肉：25 トン、乳：135 トン。1980 年には肉：30-32 トン、乳：170-180 トン」**、〈科学〉の切手には**「1980 年までには化学産業の生産高はおよそ 17 倍に成長し、中でも鉱物肥料の生産は 9-10 倍に、合成繊維の生産はおよそ 15 倍になる。」**と、産業ごとの 20 ヵ年到達目標が具体的な数字で書き込まれているのでした。プロパガンダ切手おそるべし。農業政策の成功と人類初の有人宇宙飛行のもたらした大国の栄光をバックにソビエト連邦のもっとも輝かしい時期を指導したフルシチョフは、1962 年の党大会において再度スターリンを批判し、ソ連が進むべき新段階のヴィジョン「新綱領」を発表。生産力と技術力によりマルクス共産主義社会の完成形「労働は生活の手段ではなく生活の要求となり、生産力の増大とともに個々人の全面的な発展が可能となる社会」を目指すとして各産業分野ごとの到達目標を掲げたのでした。（しかしフルシチョフは 1964 年失脚。長い停滞期とペレストロイカ期をへて、ソビエト連邦は 1991 年崩壊）。

2ab「新耕地開拓」、1962、3/3 枚組。〈農家建設の測量技師とトラクター〉〈コンバイン〉〈新天地へと旅立つ男女〉。

3「世界保健デー」、1963、3/3 枚組。〈すべての人はレクリエーションの権利を有する〉〈世界中の子どもの健康な生活〉〈就労日は最短に〉。

인민 소비품 생산에서 새로운 전환을 일으키자!
조선우표 5전
1964

1

조선우표5전
1961

2

조선우표10전
1961

1963
조선우표 10전

3

1963
조선우표 10전

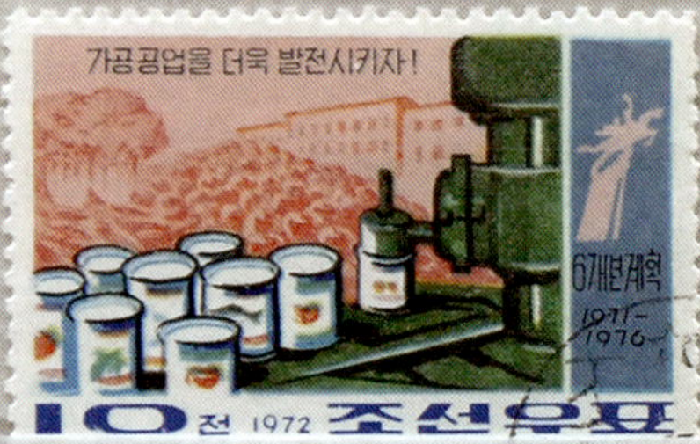
가공공업을 더욱 발전시키자!
6개년계획
1971-1976
10전 1972 조선우표

4a

제품포장을 더욱 개선하자!
6개년계획
1971-1976
10전 1972 조선우표

일용품생산에서 새로운 전환을 일으키자!
6개년계획
1971-1976
10전 1971 조선우표

5

질안비료
화학솜
6개년계획
1971-1976
10전 1971 조선우표

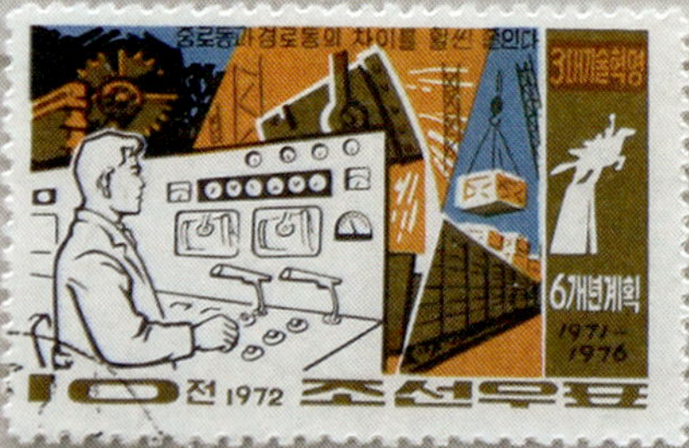
중로동과 경로동의 차이를 훨씬 줄인다
3대기술혁명
6개년계획
1971-1976
10전 1972 조선우표

7a

녀성들을 부엌과 가정일의 무거운 부담에서 해방한다
3대기술혁명
6개년계획
1971-1976
10전 1972 조선우표

千里馬のスピードで朝鮮民主主義人民共和国

8

9

4b

6

7b

1「第１次７ヵ年計画」、1964、1/3 枚組。〈国産工業製品〉。

2「生活水準の向上」、1961、2/4 枚組。〈養鶏と畜産〉〈織物工業〉。どこかのどかな経済計画切手。水色の感じが独特で、上に生産風景、下に製品という構図も楽しい。しかし当時、北朝鮮は金日成首相が提唱した〈千里馬（チョンリマ）運動〉のまっただなかで、「1 日に千里を駆けるという伝説の馬の勢いで、経済発展を加速し、社会を大躍進させよう」がスローガンだったのでした。

3「生産目標の達成」、1963、2/6 枚組。〈重工業〉〈繊維工業〉。これぞ〈千里馬〉産業切手。怒濤のイキオイで生産する労働者像が描かれています。女性工員の胸には勲章が。

4ab「第１次６ヵ年計画（1971-1976 年）」、1972、3/3 枚組。〈缶詰機械〉〈食料倉庫〉〈缶詰工場〉。

5「第１次６ヵ年計画」、1971、2/11 枚組。〈家電製品〉〈工場製品〉。

6「金属加工」、1972、1/2 枚組。〈製鉄所〉。

7ab「技術革命の３大課題」、1972、3/3 枚組。〈重工業の労働軽減〉〈家事労働の軽減〉〈農業の工業化〉。60 年代に入ると、ベトナム戦争や中ソ共産党の動向、韓国の経済発展の影響によって北朝鮮の孤立化が進んで軍事費が極端に増大し、1961 年からの第１次７ヵ年計画は達成されず３年の延長となりました。千里馬運動が人海戦術と精神主義に頼り過ぎ、非能率や労働者の疲弊が経済発展を妨げたという反省もあり、1971 年からの６ヵ年計画では「勤労者を重労働から解放しよう」という目標と、その達成のための「技術革命の３大課題」が定められました。

8「北青会議 15 周年」、1976、2/2 枚組。

9「平義線（平壌－新義州間）電化」、1964。鴨緑江を渡って中国へと抜ける、中国－北朝鮮間物資輸送の重要路線。

5 BANI
POSTA
AL IV-LEA PAVILION DE MOSTRE - BUCURESTI 1962
R.P. ROMINA
20 BANI
40 BANI
55 BANI
1.20 LEI
1 LEU
75 BANI
1.55 LEI
ileana
10 BANI
LEIPZIGER HERBSTMESSE 1967
10
15
DEUTSCHE DEMOKRATISCHE REPUBLIK
ISRAEL
ישראל
0.30
0.40
0.80
BIENVENUE EN ISRAEL
WELCOME TO ISRAEL
שנת התיירות הבינלאומית
INTERNATIONAL TOURIST YEAR
ANNÉE INTERNATIONALE DU TOURISME
1967 תשכ"ז

1

2

3

132 – 133

国際見本市
産業切手

1 ルーマニア「ブカレスト国際見本市」、1962、9/10 枚組。ルーマニア切手の明朗なモダニズムには最初驚かされたけれど、第1次世界大戦前後の貴族やブルジョワの子弟はパリに留学する習しがあり、建築家や画家、デザイナーの多くはパリで勉強していた由。ルーマニア王国の首都ブカレストはフランス人建築家の設計した高層建築が立ち並び「バルカンの小パリ」と呼ばれていました。この切手の発行された時期は、ソ連と距離を置いた独自外交路線をとって西側諸国の喝采を浴びた党書記長ゲオルギウ・デジ時代（1953-65）で、デジの急死後、ルーマニアは悪夢のようなチャウシェスク独裁時代となり、独特の魅力をもっていたルーマニア切手も精彩を失ってしまいます。この見本市会場は「ROMEXPO」という名で今も健在。

2 東ドイツ「秋のライプツィヒ見本市」、1967、2/2 枚組。中世から栄えた大学・書籍と商業の街ライプツィヒは、1190年来の世界最古の見本市の街でもあります。

3 イスラエル「国際観光年」、1967、3/3 枚組。観光による国際交流によって互いの文化、経済、教育の向上をもたらそうという国連の定めた国際年。スローガンは「観光は平和へのパスポート」。

4 南ベトナム「美術工芸品」、1967、3/4 枚組。〈陶工〉〈花瓶・枝編み細工〉〈漆塗り〉。

5 フィンランド共和国「陶磁器工業」、1973。国名表記「スオミ／フィンランド」の「スオミ」は「湖の国」を意味するフィンランド語の自称国名。第1次大戦前から工業化を進め、陶磁器のアラビア、イッタラ、テキスタイルのマリメッコなど、デザイン性の高さで国際的に人気の高いメーカーがたくさんあります。

6 フィンランド「工業化」、1971。

7 フィンランド「織物工業」、1970。

8 キューバ「食品工業」、1968、2/5 枚組。

HALASI CSIPKE
MAGYA
1.40 Ft
60 f
POSTA
40 f
2 Ft
MAGYAR POSTA
30 f
1 Ft

1

HALASI CSIPKE
POSTA
2 Ft
30 f
MAGYAR POSTA

2a

134 – 135

アーツ＆クラフツ
ハンガリー共和国

3

4

5

6

2b

1 **「ハラシュ·レース」、1964、8/8 枚組。** レース部分に精緻なエンボス（凹凸）が施されて、それ自身工芸品のように美しい切手です。

2ab **「ハラシュ・レース」、1960、4/8 枚組。** 深い色彩を背景にしたレースが荘厳なほどのデザインであるのにもかかわらず、透かしはポップな☆マーク。

3 **「普通切手／家具」、2000、3/6 枚組。〈彫刻を施した木の椅子、19 世紀〉〈クッションつきの肘掛け椅子、1935〉〈籐椅子、19 世紀〉。** 2000 年からはじまった椅子シリーズの普通切手。背景にクローズアップされたディテールがデザインされています。

4 **「普通切手／家具」、2000、1/5 枚組。〈彫刻を施した椅子、1900 年前後〉。**

5 **「普通切手／家具」、2002、1/6 枚組。**

6 **「普通切手／家具」、2001、1/6 枚組。**

「レースの女王」と呼ばれるハラシュ・レースの登場は 1902 年。家内工業主アルパート・デカーニが、ハンガリー南部の街キシュクンハラシュ生まれの女性、マリア・マルコヴィッチの独創的な刺繍技術を得てデザインしたのが現代ハンガリー刺繍の始まりです。産業革命ですたれた手仕事の価値を見直そうというイギリス発のアーツ・アンド・クラフツ運動がヨーロッパの心を捉えていたこの時期、ハラシュ・レースは高い評価をえて、1904 年のセントルイス万博、1906 年ミラノ万博（下写真）、でグランプリをとり、美術雑誌で取り上げられて世界的なブランドになったのでした。第二次世界大戦後も、1958 年ブリュッセル万博でグランプリを受賞しました。

1

1 ブリュッセル万国博覧会（1958）のビューマスター（立体視できる光学ガジェット）。第２次大戦後初の万国博覧会で、テーマは「科学文明とヒューマニズム」。

2 メイン・パビリオン「アトミウム」のペイパー・ウェイトとグリーティング・カード。鉄の結晶構造（体心立方格子構造）を1650億倍に拡大したもので高さは103m。ひとつひとつの球体のなかは展示室になっていて、エレベーターや階段で結ばれています。

3 スライドつきポストカード。ソビエト連邦パビリオンではライカ犬を乗せた人工衛星スプートニク2号を展示。

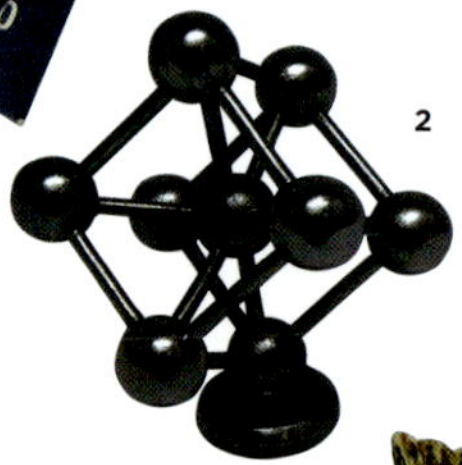

2

3

4 ベルギー「ブリュッセル万国博覧会、1958」、1957、3/4枚組。

5 「赤十字社：ブリュッセル国際エックス線学会。赤十字社国際救援活動」、1981、1/2枚組。〈アトミウム〉。

4

5

万国博覧会切手
ベルギー王国
アメリカ合衆国

6

7

6 アメリカ「シアトル万国博覧会」、1962。

7 スペース・ニードル絵葉書とスペース・ニードル・スノードーム。スペース・ニードルは1962年に開かれたシアトル万博（テーマは「宇宙時代の人類」）の際に建設された高さ185メートルのタワー。シアトル市が建設したものではなく、2人の投資家、建築家、建設会社、材木業界の大立て者の5人が出資した「ペンタグラム（五芒星形）社」によって建設されました。スペース・ニードルの公式サイトからトリビアをいくつか。／初代支配人ホッジ・スリヴァンは高所恐怖症。／夏の暑い日、スペース・ニードルは2.5センチ伸びる。／これまでスペース・ニードルからパラシュートでダイブしたのは6人。うち4人は広告のため公認ダイブ。2人は無断で飛び降り逮捕された。／天辺の「スカイ・シティ・レストラン」は直径29メートルの回転する円盤で、世界で2番目の回転レストラン（1番目はハワイのアラモアナ・センター）。／マイクロソフト会長のビル・ゲイツは11歳の時、「マタイ福音書の〈山上の説教〉を暗唱できたら、スペース・ニードルでディナー」という牧師の言葉に発奮し、みごと成功した。／シアトル万博のときに作られたスペース・ニードル・グッズは200種以上。一番人気は中でライトがともる75ドルの金のスペース・ニードル・チャームと、23センチの大きなクロム鍍金のスペース・ニードル・ライターだった。

10

8

9

8 ニューヨーク万国博覧会のマッチブック。

9 アメリカ「ニューヨーク万国博覧会」、1939。

10 グラス。ニューヨーク万博（1939-1940）のテーマは「明日の世界：建設と平和」。三角錐と球体が組み合わされたシンボル・パビリオン「トライロンとペリスフェア」をあしらったグッズが大量に作られた最初の万博としても知られます。マッチから掃除機まで、ありとあらゆるものが万博グッズ化され「テイク・ホーム」されたのでした。

未来の夢を描く
産業プロパガンダ／産業広告

柏木博

1960年代のソヴィエトの切手の図像を見ていて、ふと日本の5円硬貨のデザインを想起してしまった。現在も使用されている中心に穴のある5円硬貨は、1959年に発行されたものである。表には稲とその下には水、そして中心の穴のまわりに歯車。裏には双葉。稲＝農業、水＝水産業、歯車＝工業、そして双葉は林業のアイコンになっている。敗戦後、産業を強化しそれによって日本を立て直そうという気持ちを表している。この図案は、発行からはるか以前に立案されていたと思われる。

20世紀前半から、少なくとも1960年代の終わり頃までは、産業を拡大し生産性を向上させることが国家を豊かに発展させ、人々の幸福を実現するのだという考え方がいささかの疑問ももたれずに信じられていた。

ソヴィエトの国旗には、鎌（農業）とハンマー（工業）の図像が使われているし、1930年代のニューディール時代のＮＲＡ（産業復興局）のシンボルであるブルーイーグルは、右足でしっかりと歯車（工業）を握っている。いずれも日本の5円硬貨と共通する図像となっているといえる。つまり、社会主義ソヴィエト、アメリカの資本主義、そして敗戦後の「高度経済成長」へとむかう日本、いずれも産業によって豊かな未来を目指すというアイデアそしてプログラムを持っていたという点では、いずれも同じであった。その実現を計画経済によるのか自由競争によるのかという点が異なっており、この手法の問題は、今日においても持ち越されているといっていいだろう。

産業による環境汚染､貧富の拡大､そして計画経済と新自由主義的競争原理の破綻を、現在のわたしたちは見てきた。60年代の切手には、そうした破綻を想像することもなく、未だ見ぬ夢が描かれている。その夢は、社会主義圏においてはプロパガンダ（宣伝）、資本主義圏においてはアドヴァタイジング（広告）として表現されることになる。

1930年代は、社会主義、資本主

1 ソ連のグラフ誌『アガニョーク』(1960年38号)。表紙はウクライナの河港都市ドニエプロジェルンジンスク。金属・機械・化学工業で栄えたこの街で、大工場をみつめる夏休みの少年たち…という写真に、記者が取材先で偶然旧友に出会い、彼の家や仕事場を案内してもらうというほのぼのカバー・ストーリーがついています。が、実はこの街、当時国家元首の地位にあり、フルシチョフ失脚後､党書記長となったブレジネフが生まれ育ち、15歳のときから製鉄所で働いていた土地なのでした。

ОГОНЁК

№ 38 СЕНТЯБРЬ 1960

ИЗДАТЕЛЬСТВО «ПРАВДА»

НАЧИНАЕМ ПЕЧАТАТЬ ПОВЕСТЬ
Н. АСАНОВА

«МАДОННА БЛАГОРОДНАЯ»

Ник. Кружков. — ЧТО ЖЕ ТАКОЕ ПОРЯДОЧНЫЙ ЧЕЛОВЕК?..

2

義そして ファシズム体制の国家までが、産業とりわけ工業と農業によって自らの未来を明るいものとして描いた。たとえば、アレキサンドル・ロドチェンコやエル・リシツキーといった1920年代のロシア・アヴァンギャルドは、抽象度の高いグラフィックとともに産業風景や人物などをひとつの画面にモンタージュあるいはコラージュすることで、説得力あるグラフィックを生み出した。後者のスタイルのグラフィックは、30年代のグスタフ・クルツィスなどの作品に典型的なものを見ることができる。手法についていえば、数十分の映画を一枚のポスターにコラージュして見せるステンベルク兄弟の作品にも同様の手法が使われている。

第二次大戦後の社会主義圏と資本主義圏との冷戦構造が深刻な事態をむかえていた1950年代から60年代にかけて、社会主義圏の国々のプロパガンダには、ロシア・アヴァンギャルドによって生み出されたグラフィックの表現手法、そして30年代のスターリニズムのもとで生み出された表現形式が引き継がれていることがわかる。60年代のソヴィエトの「切手」のデザインにはそれが鮮明にあらわれており、さまざまな工業装置を背景にして労働する人々がコラージュされている。切手という印刷物は、国内においてだけではなく郵便物として世界中にとどけられるという点において、プロパガンダとしての有効性を持っていた。

他方、50年代後半から60年代にかけてのアメリカの場合、産業に関しては、国家によるものよりも、企

3

業による独自のメッセージがつくられている。したがって、それはプロパガンダではなくアドヴァタイジングといった方がいい。ジェネラル・モーターズ（GM）は、1950年代に、モーターショーを開催し、豊かな消費生活の華やかなイメージをフィルムによって見せている。50年代、GMはテクノロジー（テック）・センターをつくり、クルマの技術研究のみならず、結核など医療に関する研究から軍事技術にいたるまでさまざまな技術の研究を行っており、まるで国家プロジェクトのようなことを引き受けていた。30年代以来、GMは未来のアメリカを産業によってかぎりなく豊かにするという夢を博覧会パビリオンや映像で見せている。それは明らかに社会主義圏のプロパガンダに対抗するものであった。

4

The Industries We Serve—PLASTICS
Billion Dollar Giant—At Their Service!
So many good things are made of plastics today. From the time you comb your hair in the morning until you snap off your television set at night, the magic realm of plastics is at your service. There's hardly another material as strong, light, durable or as easily processed into eye-appealing forms as the products of this giant young industry, which has doubled its growth every five years since 1930.
As an integrated producer of coal-derived products, Pittsburgh Coke & Chemical provides plastics makers with many of their important "building block" chemicals—phthalic anhydride, benzene and phenol, to name just a few.
And the company's Plasticizer Division is one of the nation's leading basic producers of the important compounds that impart flexibility to your vinyl floor tile, garden hose and scores of other useful products in your home and business.
Pittsburgh PX Plasticizers—and all other products of our ten integrated divisions—are quality-controlled from coal to final processing: better products for industry and agriculture . . . because Pittsburgh is basic.
PITTSBURGH
COKE & CHEMICAL CO.

2 1939年のニューヨーク万国博覧会でもっとも注目を集めたジェネラル・モーターズ・パビリオンの「フューチュラマ」。ハイウェイで結ばれた緑豊かな未来都市（20年後の1960年と設定されていた）を見せるジオラマ装置。

3 ジェネラル・モーターズのシボレー・コルベットの広告（1956）。アメリカのスポーツ車の象徴的存在で、大排気量エンジンを誇り、モデル・チェンジも頻繁な資本主義の申し子。

4 ピッツバーグ・コーク＆ケミカル社広告「プラスティックス」。アメリカの家庭に溢れる色鮮やかなプラスティック製品。

テマティック

1
DDR 10
TAG DES KINDES 1964
DDR 40
TAG DES KINDES 1964
DDR
TAG DES KINDES 1964
DDR 20
TAG DES KINDES 1964
DDR 5
TAG DES KINDES 1964
2
15q
SHKOLLA FILLOR
R.P.E SHQIPERISE
3
POLSKA
1,00 ZŁ
4
10 DDR
RATIONELLE ENERGIE- ANWENDUNG
1981

国ごとに蒐集するトラディショナル・コレクションに対して、図案や発行目的でまとめる蒐集をテマティック・コレクションと言います。コレクションにはほど遠いですがおもしろいと思ったテーマを少々。

5

6

1 東ドイツ「子どもの日」、1964、5/5枚組。東ドイツの子どもテレビ番組の人気キャラクターを描いた切手。大きな絵本を見たり歌を歌いながらお話をしてくれる〈マイスター・ネーデロール〉と、素直で良い子の〈ブンミと シュナッターリンヘン〉、いたずら小鬼の〈ピッティプラッシュ〉。〈ザントマン〉は眠りの砂をひとの目に投げ込む「砂男」。ドイツでは昔から夜ふかしする子を「砂男がくるよ」とおどします。でも夕刻に子どもの見る番組として1959年に始まったパペットアニメーションの「ザントマン」は、飛行機や自動車や船に乗って（乗り物の造形がひどくチャーミング）、世界の子どもたちを訪ねる愛らしい妖精で、番組の最後にやさしく砂をまき、おやすみなさい…とストーリーを閉じます。懐かし東ドイツ・アイテムにあふれた映画『グッバイ・レーニン』にも登場していました。同じく登場の〈フラックスとクルーメル、犬のストルッピ〉は、1955年誕生のパペットです。

2 アルバニア共和国「人形劇劇場25周年／寓話」、1975、1/8枚組。〈アヒルの学校〉。

3 ポーランド「テレビ子ども番組」、1975、1/4枚組。〈ヤツェクとアガトカ〉。ポーランドテレビが1962年から放映した指人形の子ども番組。このイラストだとちょっとコワイ感じですが、実際のフィルムを見るととっても愛らしい二人組です。二人をキャラクターにした石鹸も人気でした。

4 東ドイツ「経済的なエネルギー利用」、1981。倹約キャンペーンなのに、指先とか、足もととか、なんだかゆるい雰囲気の節電くん。ダイジョブか？

5 オランダ「住所変更通知をだそう」、2002。こちらは引っ越しくん。

6 東ドイツ「テレビ子ども番組」ミニシート、1972、6/6枚組。

1
PARE
CUBA
CORREOS
1970
9
SEMANA DEL TRANSITO
CUBA
CORREOS
1970
3
SEMANA DEL TRANSITO
3
SEGURIDAD Y EDUCACION VIAL
20
PESOS
POLICIA FEDERAL ARGENTINA
R. ARGENTINA
2
POR
I CONGRE
PORTUGAL
I CONGRESSO NACIONAL
DO TRANSITO
3.30
5
INTERNATIONAL
5a
15
DDR
israel ישראל
7.00
1982
4
TÜRKIYE CUMHURIYETI
POSTA
10
LIRA
TÜRKIYE CUMHURIYETI
POSTA
500
KURUŞ
YAVAŞ !
7
6
...and guard our
and unto
DEUTSCHE DEMOKRATISCHE REPUBLIK
10
8
10
FIA
ПРОЛЕТЕН
КОНГРЕС
СОФИЯ '74
НРБЪЛГАРИЯ ПОЩА
13 СТ.
9
SECURITE ROUTIERE – VERKEERSVEILIGHEID
VIA
SECURA
3F50
11
1956
25
DDR
5b
30
Deutsche Bundespost
STOP
Neue Regeln im Straßenverkehr
1971
12
Neue Regeln im Straßenverkehr
10
Schülerlotsen
1971
Neue Regeln im Straßenverkehr
Deutsche Bundespost
20
1971
50
Neue Regeln im Straßenverkehr
1971
Deutsche Bundespost

13

14

15

16

交通安全

1 キューバ「交通週間」、1970、2/2 枚組。ポップ？ シュール？ というか駄洒落？ どうしてこんなイカス切手が出現しちゃったのでしょうか。

2 アルゼンチン「道路交通の安全と教育」、1968。

3 ポルトガル「国家交通会議」、1965、3/3 枚組。

4 西ドイツ「ミュンヘン交通展覧会」、1965、1/7 枚組。〈標識、信号機〉。

5ab 東ドイツ「交通安全」、1966、2/4 枚組。

6 イスラエル「道路交通安全」、1982。

7 トルコ「交通」、1977、2/6 枚組。

8 東ドイツ「ライプツィヒ秋の見本市」、1968。

9 ブルガリア「国際自動車連盟（FIA）会議」、1974。FIA は世界各国の自動車団体によって構成される国際機関。安全運転や環境保護の啓蒙活動をおこなうほか、4 輪モータースポーツの統括機関としてフォーミュラ 1 世界選手権などのレースイベントを主催しています。

10 ベルギー「交通安全」、1972。

11 スイス「特殊切手」、1956、1/4 枚組。〈交通安全〉。

12 西ドイツ「道路交通の新しい規則」、1971、4/4 枚組。

13 ソ連「交通安全」、1972。絵本を見る子どもカワイイ。

14 ノルウェー「交通安全」、1969。帽子ちびっこ。

15 デンマーク「交通安全」、1970。

16 イスラエル「交通安全」、1966、4/5 枚組。イスラエル切手独特のタブの面白さが生かされた切手。タブというのは、切手と目打でつながり、関連する図柄が刷られている部分を言います。「Tab ／垂れ飾り、インデックス・ラベル」。シートのなかで数枚しか付いてないので、イスラエル切手のようにタブに特徴のある国の切手は「タブ付き」かどうかで値段が変わります。

PORTUGAL 1.00
mês internacional do
PORTUGAL 9.00
mês internacional
PORTUGAL 4.00
mês internacional do
1
1972
МЕСЯЦ ЗДОРОВОГО СЕРДЦА
4 К
2
3
FUERSTENTUM
60
LIECHTENST
4
"THE HEART AT THE HEART OF HEALTH"
20 PAISA POSTAGE
5
1,60
ČESKOSLOVENSKO
SEGÜNKKEL 1961
40
SEGÜNKKEL 1961
30
POSTA
6
CỘNG HÒA MIỀN NAM VIỆT NAM
BƯU CHÁNH
50 xu
7
20 PAISA
PAKISTAN
POSTAGE
PAKISTAN
8
9
60đ
VIỆT NAM
10
ЧЕРВЕН КРЪСТ
11
SOCIETATEA DE CRUCE ROSIE DIN ROMANIA 1876 - 1976
2.20 L
POSTA ROMANA
SOCIETATEA DE CRUCE ROSIE DIN ROMANIA 1876 - 1976
3.35 L
posta aeriana
POSTA ROMANA
SOCIETATEA DE CRUCE ROSIE DIN ROMANIA 1876 - 1976
1.75 L
POSTA ROMANA

12

13

14

医療

1 ポルトガル「世界心臓月間」、1972、3/3 枚組。

2 ソ連「世界心臓月間」、1972。

3 リヒテンシュタイン公国「リヒテンシュタイン赤十字 30 年」、1975。ガイコツさん。

4 パキスタン「世界健康デー」、1972。〈心臓は健康の心臓部〉。

5 チェコスロバキア「世界心臓月間」、1964。

6 北ベトナム「南ベトナム共和国革命臨時政府樹立 2 周年」、1971、1/5 枚組。〈看護〉。

7 パキスタン「パキスタン国営献血サービス」、1972。これは痛そう。

8 ハンガリー「公衆保健活動」、1961、2/6 枚組。

9 ベトナム「子どもに種痘接種を」、1988。救われているというより救ってくれそうな威厳ある赤んぼ…。

10 ブルガリア「国際赤十字社 100 年」、1964。1/5 枚組。スイスの青年実業家J・H・デュナンが、ボランティア活動をするなかで多くの戦傷病者が手当も受けられずに放置されている悲惨な状況に衝撃をうけ、戦時下の救護活動を行う国際組織の設立を決意、スイス政府の尽力のもと 1864 年、各国政府代表がジュネーブ条約（赤十字条約）に調印し、戦傷病者の看護、看護人員・資材・設備の中立、標章はスイスに敬意を表して、スイス国旗の赤白を反転させた赤十字とすることが定められました。（アラブ諸国は、宗教上の理由から十字マークは使わず赤い新月のマークを用い、名称も「赤新月社」）。当初交戦国間に適用される条約でしたが 77 年よりゲリラ戦、内戦等の捕虜にまで適用されることになっています。

11 ルーマニア「ルーマニア赤十字 100 年」、1976。3/5 枚組。

12 ハンガリー「国際赤十字社 100 年」、1963。6/7 枚組。

13 ブルガリア「世界子ども会議」、1979。

14 ブルガリア「世界子どもの日」、1979。

1
SPIS POWSZECHNY
NARODOWY
1970
40 GR
POLSKA
K. ROGACZEWSKA
PWPW
NARODOWY SPIS POWSZECHNY 1970
60 GR
POLSKA
K. ROGACZEWSKA
PWPW
2
PKO
POLSKA
PKO
KSIĄŻECZKA OSZCZĘDNOŚCIOWA
2,50 ZŁ
PKO
POLSKA
60 GR
PKO
POLSKA
60 GR
PKO
POLSKA
60 GR
PAŹDZIERNIK MIESIĄC OSZCZĘDNOŚCI
40 GR
3
MAGYAR POSTA
60f.
1958
TAKARÉKOS, DOLGOS JELEN - BIZTOS JÖVŐ
GÖNCZI TIBOR
MAGYAR POSTA
40f.
1958
A TAKARÉKOS IFJÚSÁG TERVEI VALÓRA VÁLNAK
GÖNCZI TIBOR
MAGYAR POSTA
1 Ft.
1958
NYUGODT
TAKARÉKOSSÁG
BOLDOG ÉLETET TEREMT A SZORGALOM ÉS
4
貯蓄で自立
1968
15
NIPPON
5
CTF
XVIe CONGRES INTERNATIONAL
JARDINS FAMILIAUX
1,50 F
LUXEMBOURG
6
EPARGNE SCOLAIRE
3F
LUXEMBOURG

貯蓄と計量

7

8

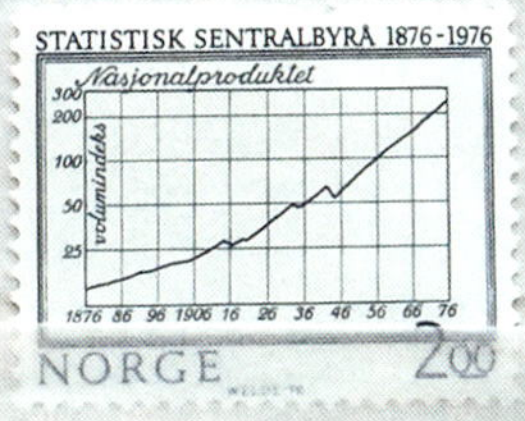

9

10

12a

11

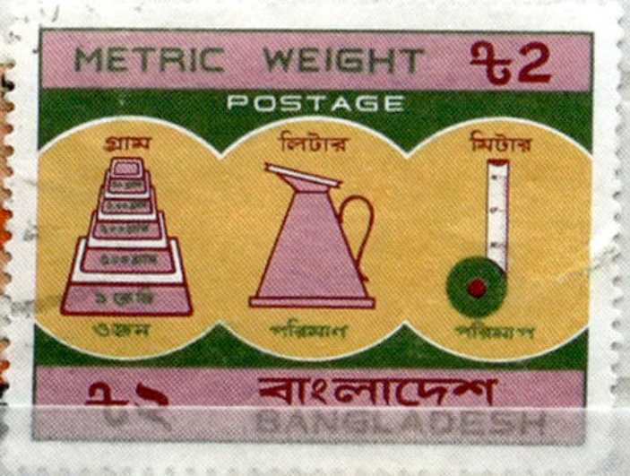

12b

13

1 ポーランド「国勢調査」、1970、2/2枚組。

2 ポーランド「貯蓄月間」、1961、5/5枚組。PKOは個人口座業務を行う貯蓄銀行。

3 ハンガリー「貯蓄と生命保険」、1958、3/6枚組。〈アリとキリギリス〉〈割引きスタンプをもつ小学生とふたりの仲間〉〈蜜を蓄えるミツバチ〉。割引きスタンプ小学生、うれしそうです。

4 日本「貯蓄で自立」、1968。仲間うちででこの切手はやりました。トホホ。

5 ルクセンブルク「国際家族の庭連盟ルクセンブルク支部40周年と第16回会議」、1967。「家族の庭」連盟とは、元は「労働者の庭」連盟という名称で、労働者が土地を借りて家庭菜園を耕すことを支援する組織。19世紀末のベルギーの司祭グリュール師と彼のフランスの友人ルミール師が取り組んだ、貧困層の家計を助け、自然と触れ合い人間らしく生活することを支援する活動に始まりました。「連盟」という法人格をもつことによって、作物づくりの実際的な事々にとどまらず、法的・資金的なサポートを可能にし、現在も300万の家庭が参加している非営利団体です。

6 ルクセンブルク「学校貯金」、1971。

7 スウェーデン「メートル法100年」、1975。革命後の18世紀末フランスで考案された「世界共通単位」の基準1mは、北極点から赤道までの経線の距離の千万分の1。人間の身体を基準とした単位（フィートほか）とは異なる文字通りのグローバル基準デシタ。

8 日本「メートル法完全実施記念」、1959。

9 ノルウェー「ノルウェー中央統計局100年」、1976、1/2枚組。

10 メキシコ「フィラデルフィア国際切手展」、1976。切手の目打ゲージ切手！

11 パキスタン「人口調査」、1972。

12ab パキスタン「メートル法計量システムの導入」、1983、2/2枚組。

13 パキスタン「国際的測定システム」、1974。

1

1 モンゴル国「子どもの日」、1966、7/7枚組。〈鳩〉〈仔ヒツジたち〉〈フタコブラクダ〉〈ウマ〉〈トナカイ〉〈相撲〉〈弓矢〉。世界には家畜の切手がたくさんあります。野生動物の切手も美しいですが、子どもの頃から慣れ親しんで、世話をする家畜の切手にはまた別の良さが。大事に飼われている動物は人の目を覗き込むよなあ。

2

2 モナコ「ルルドの泉100年」、1958、1/13枚組。〈ベルナデットとヒツジたち〉。

3 モンゴル「ピオネール40年」、1965、1/5枚組。〈動物の飼育〉。

4 ニュージーランド「健康」、1975、1/3枚組。

5 オランダ「家畜」、ミニシート。

3

4

6a

5

10

8

9

8 フィンランド「複十字切手」、1962。赤十字社の募金シール。

9 スウェーデン「野生動物Ⅰ」、1992、1/4 枚組。〈リス〉。耳の先がとんがってます。

10 スウェーデン「野生動物Ⅲ」、1996、1/5 枚組。〈ナミハリネズミ〉。リス同様ハリネズミも飼われてはいませんが、ヨーロッパ北部では春になると庭にわらわらでてくる動物だそうで、うらやましい。というわけで英語の hedgehog は「生け垣のブタ」…！

6ab ルーマニア「家畜」、1962、4/7 枚組。アンディ・ウォーホル風!?

7 ブルガリア「経済的成果」、1967、1/12 枚組。〈ブタ〉。

6b

7

7 匹の動物玩具はドイツのワグナー・ハンドクラフト・キュンストラーシュッツ・カンパニー社のクリスマス・オーナメントです。同社のはじまりは、彫師でモルド・デザイナーだったフリッツ・ワグナー（1901-1971）が 1940 年代にレーデンタールの町にひらいたアーツ・アンド・クラフツの工房で、彼はこの地で 300 以上の動物の型を作った由。ドイツでは昔から質の高い玩具やキリスト降誕の情景を飾る小さな動物を作ってきていて、ワグナー社もまたこういった歴史の一角をになった会社だったのでありました。型によって紙粘土の本体をつくり、綿のフロック（粉状の毛）で覆い、そこに眉や鼻、微笑んだ口元などを手描きし、ガラスの眼やプラスチックの角や兎の毛をつかったシッポなどをとりつけていく…というのがワグナー社のやり方。すべての工程がハンドメイドで、注意深いプロセスをへて毎年 40 万個もの動物たちが世界へ送り出されたそうです。残念ながら 1998 年に会社の歴史は終わってしまったとのこと。その特徴は眉毛？ と明るい瞳、造形のリアリズムで、上のリスの手にしている松ボックリ、右 2 匹が手にしているのは齧られて「森の海老フライ」状態です。

1

1 スウェーデン「国際児童年」、1979。排気ガスをもうもうと吹き付ける自動車とガスマスクを付けた子ども（しかもミニカーで遊んでる）。あんなに端正な切手を発行し続けているスウェーデンなのに、時々とんでもなくへんな切手を発行してます。凹版の技術は変わらず駆使しているのでよけいに妙。

2 スウェーデン「交通安全」、1971。「子ども＋交通安全」のテーマでヘン切手が発動しやすい？

3

2

3 チリ共和国「スキー選手権ポルティージョ大会」、1966。ポルティージョはアンデス山脈の銀雪とインカ湖の蒼の対比がすばらしいスキー・リゾート。ご婦人のサングラス、迫力です。

4 オランダ「子どもたちのために／昔のヘーフェルステーン」、1975、2/4 枚組。〈エイモン公と 4 人の息子たち、17 世紀〉〈孤児たち、1785〉。いつも洗練されているオランダ切手なのに、この呪術っぽい雰囲気は何だろう？でしたが、ヘーフェルステーン（英語でゲーブルストーン）という石の絵看板でした。17 世紀のオランダの石造りの家々に表札がわりに掛けられていたもので、家の職業やシンボル、あるいはよくわからない奇妙なものが描かれていて、オランダの古い街並みを散策するときの愉しみのひとつだそうです。上は 12 世紀の古い騎士物語詩に出てくる 4 人の兄弟と、魔法の馬。

5

4

5 チャド共和国「ユニセフ 25 年」、1971。ライティングまちがってます。これでは悪のこども団。

6 アルゼンチン「世界保健機関（WHO）設立 20 年」、1968。これも何やら不穏な…。

7 ベルギー「名前のない同盟創立 25 年」、1984。1959 年に司祭フィル・ボスマンスにより設立された社会的弱者救済のための団体です。しかしこの切手の「薄いヒト」たちはいったい…？ 見れば見るほどナゾぶかい体形とデザイン意図です。

6

8

8 日本「国立こどもの国開園記念」、1965。

9 日本「愛知用水通水記念」、1961。日本の切手はまじめすぎる気がしないでもないですが、ときにはそれがシュールな味わいを。

7

9

なんだか気になる切手集／その１

10

10 単調になりがちなスポーツ切手のなかで、さすがのセンスを見せるスリナム切手。「スリナム・サッカー連盟 50 年」、1970、3/4 枚組。

11

11 妙にかっこよくて手に入れちゃったイタリア子ども切手、「夏休み休暇村の模範生」、1937、1/6 枚組。〈ファスケスの前の少年〉。しかし背後の謎オブジェはなんと、イタリア・ファシスト党の結束のエンブレムで「ファシスト」の語源ともなったファスケス（斧の柄を棒で束ねたもの／古代ローマの高位公職者の侍者リクトルが捧げ持っていた）という代物と判明。そう、この少年はファシスト党の夏休みキャンプでそのカッコヨサに陶然、ってヤバい状況にあるというわけ。1930 年代の切手プロパガンダ合戦は、資本主義・共産主義・全体主義（ファシズム）の三つ巴の戦いだったのでした。

12

12「切手コレクターにして、自ら切手に肖像を彫られる王様」って、切手愛好家としては究極の存在形態のような気がしますが、海洋博物館のアルベール１世（在位 1889-1922 → p.74）から続くルイ２世（在位 1922-1949）、レニエ３世（在位 1949-2005）のモナコ大公３代はそんな方々。数々の傑作凹版切手にその在位期間を飾られたレニエ３世は、曾祖父の代から継承発展させてきたコレクションで「切手コイン博物館」を建造したのでありました。左はレニエ３世のもうひとつのコレクション対象である自動車の晴れ舞台「モンテカルロ・ラリー」、1963。いやはやゴージャスな人生です。

13a-d レニエ３世の華やかさにくらべてダークな切手王が、こちらヒットラー髭のアヤシイおじさん、ルーマニア王カロル２世（在位 1930-40 ／ **13ab** は 1935 年）。稀少切手の最高峰「ブルー・モーリシャス」２枚も含まれるコレクションを作り上げていたカロル２世はかなりとんでもないヒトで、王太子の地位にありながら誰にも認められないような結婚・離婚を繰り返し、あげくの果てには王位継承権を放棄して愛人と出国、あとに残された息子のミハイ１世がわずか６歳で即位することになりました。このいたいけなミハイ少年王（在位 1927-30 ／ **13c** は 1930 年）の切手、p.108 のポーランド児童小説切手、少年王マチウシの物語を思い出させます。ところがこの人騒がせな父王カロルは、３年後に戻ってきて息子の王座を奪い、ムッソリーニに心酔してこんなコスプレ切手やあんなコスプレ切手を発行しつつ、独裁国家建設に向けて様々な陰謀を張り巡らせたのでした。しかしヒトラーには領土割譲を迫られ、自ら政権に引き入れた親ドイツ派のアントネスク将軍には裏切られて失脚し、ポルトガルに亡命、将軍に擁された息子ミハイ１世が青年王の姿でふたたび切手に登場します（在位 1940-47 ／ **13d** は 1944 年）。ミハイ１世は西欧派や共産党、国軍と力をあわせてソ連侵攻前に政権内親ドイツ派を一掃し、首都をドイツ軍から自力解放することになりますが、このクーデターの際にアントネスク将軍が監禁されたのが、切手王カロル２世が建造していた堅牢な「切手蒐集室」だったというのですから、ちったぁお国のお役にたったかも？ 切手の世界ではカロル２世のコレクションは伝説的なものになっていて、今でも超高額の稀少な切手が忽然と市場に現れると、「あのカロル２世のコレクションだった…」などという箔付けが添えられていることがままあるのだそうです。息子のミハイ１世は 1947 年、共産主義勢力によるルーマニア人民共和国誕生の際、退位させられスペインに亡命、1997 年にやっと帰国を赦されたそうです。

13ab

13c

13d

1

1 スロバキア「ブラティスラバ国立美術館所蔵品」、1994、1/2 枚組、〈ジャンコ・アレクセイ「娘さん」〉。分離独立したスロバキアの首都ブラティスラバを代表する画家アレクセイの作品。村の生活を描き、ブラティスラバ城の修復を行い、小説家・批評家としても活躍した画家でした。

2

2 オーランド諸島「普通切手／民芸品」、1990。1793 年に編まれたベッドカバー。

3

3 スウェーデン「画家シャンツ（1928-98）」、2000、2/2 枚組。〈リンゴ箱〉〈コケモモの皿〉。だまし絵のように精緻な果物の絵。ベリー、リンゴのほか、子ども時代の思い出にまつわる玩具、家族の肖像などを描いた画家だそうです。他の絵も見てみたい。

4 スウェーデン「兜のデザイン」、1967、2/4 枚組。スラニア彫版。両側から大きな熊に頭をちうーと吸われ進退窮まってるヒト、なんかデカイ奴ににじりよられているヒト、かなり困った状況が面白くて取っておきましたが、北欧神話の英雄たちの物語であるようです。オーランド諸島トースルンダから出土した 6 世紀の兜の装飾につけられた 5cm 四方の小さな青銅の彫刻板（上の図柄は、捕われた魔の狼フェンリルと英雄テュールかも）。スウェーデン屈指の宝と言われる古代青銅レリーフを名匠スラニアが彫ったというのが意味深い？

4

5 スウェーデン「結び目」FDC、2003、3/3 枚組。〈もやい結び〉〈はた結び〉〈こま結び〉。北欧にはロープ結びの切手がたくさんあります。このFDCは消印もノット。

5

6 仏領南極「アポトル（使徒）諸島」、1989。フランス領南極のクローゼー諸島の一部。16 の島からなり、氷河には覆われず、18-30 人の研究者が交代で居住しています。仏領南極地方切手は本国の切手のクオリティはそのままに、でも白地を生かしたすっきりしたデザインで、殊に古風な地図にはたいへん美しいものがあります。

6

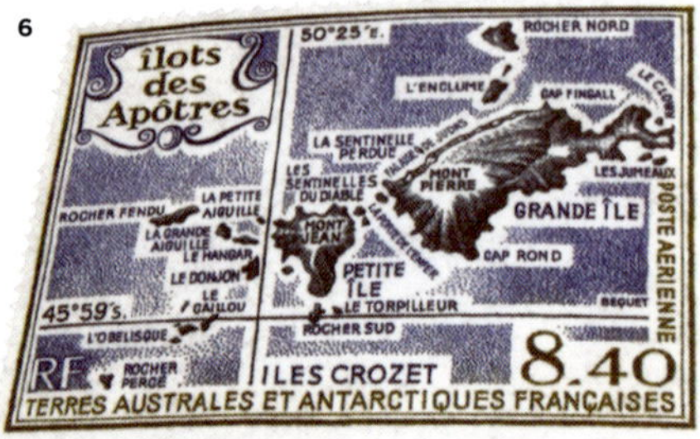

なんだか気になる切手集／その2

8

9

7

7 ポルトガル「アズレージョ 500 年Ⅹ／18 世紀」、1983。
8 ポルトガル「アズレージョ 500 年Ⅷ／1670-90 年」、1982。
9 ポルトガル「アズレージョ 500 年ⅩⅩ／20 世紀」、1985。「アズレージョ」（ポルトガル語では「アズレホ」）は、14 世紀にイスラム教徒から伝わり、5 世紀以上も変わらずポルトガルの建築物を飾ってきた絵タイル。語源はアラブ語の al-zyleique「なめらかで磨かれた小さな石」です。
建物の外壁にも内壁にも、宮殿や大聖堂にも商店や個人宅の台所にも、アズレージョは使われてきました。イスラム圏から入ってきてすぐは偶像崇拝を排した幾何学模様だった絵柄が、時代時代の流行に合わせ、マニエリスム、バロック、ロココ、アール・ヌーボー、アール・デコとスタイルを変えていく様を追ったシリーズです。

10

10 フランス「ピレネー条約 300 年」、1959。1635 年から 24 年間続いていたフランスとスペインの戦争状態を終結させた条約。それぞれの王家の紋章を付けた腕が握手しています。

11

11 モナコ「フランスによるモナコ独立性承認 450 年」、1962、2/3 枚組。〈独立尚寧文書〉〈文書の封緘〉。こちらも両家の紋章。その後フランス革命軍に占領されたり、イタリアのサルディニア王国の保護下に入るなど様々な干渉を受けつつも、第 2 次世界大戦後までの生き残りを果たしました。1918 年の「フランス・モナコ保護友好条約」にあった「グリマルディ家の男子継承者が絶えた際フランス内自治国となる」という唯一不安要因だった条項も 2002 年に解消され、2005 年「フランス・モナコ友好協力条約」が締結されました。しかし「ピレネー条約 300 年」といい「承認 450 年」といい、なんというスパンの長い記念切手でありましょうか。

12 アメリカ「アメリカの薬局」、1972。アメリカの切手は基本シングルでそっけないですが、紙質とかイラストとか、けっこう好きです。

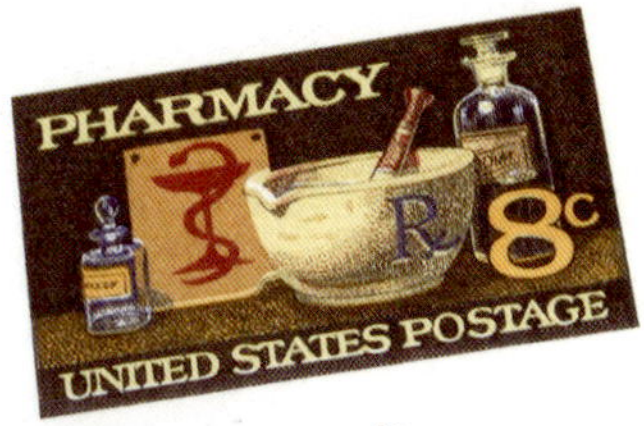

12

手紙ついた？

1

2

NEMZETKÖZI GALAMBKIÁLLÍTÁS
MAGYAR POSTA
BUDAPEST 1957
3 Ft
2 Ft
1 Ft
30 f
40 f
60 f
Klebst auch Du
Wohlfahrtsmarken ?

紀元前5千年のシュメールから使われてきたという伝書鳩ですが、意外なことにエアメールとして最大限に活用されていた時期は切手の最盛期と重なっています。第2次世界大戦中の軍用伝書鳩利用の後、テレックスが文書電送を可能にした1960年代、いまだ電送できなかった写真を送るために新聞社や通信社は屋上に鳩舎をもっていました。

1 ハンガリー「ブダペスト国際鳩展示会」、1957、6/6枚組。飼育鳩には伝書鳩のほかにファンシー・ピジョン（鑑賞鳩）というジャンルがあり、掛け合わせによって生み出された多様な形態の鳩が、その美を競い合っています。美といってもかなり奇天烈な品種もあり、まさに東の蘭虫、西の鳩という感じ。19世紀末ドイツで大部数を売り上げた『マイヤーズ百科事典』には、22種もの人工的な鳩が一堂に会する奇妙な味わいの博物画が掲載されています。

2 ドイツのシンデレラ切手「慈善切手を使いませんか？」。おっきな鳩が勧誘中。

3 アイスランド共和国「トーヴァルセン協会クリスマス・シール」、1960。

4 琉球郵便「第10回読書週間記念」、1961。

5 ポーランド「第2回ワルシャワ国際ポスター・ビエンナーレ」、1968、1/2枚組。〈平和の鳩／ヘンリク・トマシェスフキ（1914-1985）〉。ワルシャワが世界初のポスター・ビエンナーレの開催地であり（1966年、建国千年祭の関連事業でした）、世界初の専門美術館ヴィヌラフ・ポスター美術館開館（1968年）の地でもあることは、ポーランドのヴィジュアル・アートのなかでポスターが如何に特別な位置を占めているかを物語っています。この伝統は既に19世紀末からのことで、20世紀前半の世界的な応用美術の流れを決めたふたつの博覧会、「現代装飾・産業美術国際博覧会（1925年パリ）」と「現代生活における技術と芸術万国博覧会（1937年パリ）」でもポーランド人アーティスト受賞者が多数出ました。戦後は共産党政権下にあっても比較的表現が自由なジャンルだったこと、資金が潤沢であったことから才能を集め、「ポーランド派」は世界のポスター界をリードしました。

6 ルーマニア「小鳥」、1966、2/8枚組。〈ヨーロッパコマドリ〉〈ツリスガラ〉。金・銀を使ったセット。音符が愛らしいです。

1
BƯU CHÍNH
VIỆT NAM CỘNG HÒA
VIỆT NAM CỘNG HÒA
BƯU CHÍNH
2
ITALIA
XXIII GIORNATA DEL FRANCOBOLLO
120
UNIONE FIL. E NUM. MACERATESE
3
POSTA KODU
20 LİRA
PTT ÇALIŞMALARI
POSTA
TÜRKİYE CUMHURİYETİ
GÜZEL SANATLAR MATBAASI A.Ş.
1985
POSTA KODU
20 LİRA
PTT ÇALIŞMALARI
POSTA
TÜRKİYE CUMHURİYETİ
4
USE ZIP CODE
Československo
9h
5
6
SVERIGE
INRIKES POST
M. GAVLER
1979
SVERIGE
INRIKES POST
M. GAVLER
1979
USE ZIP CODE
7
USE ZIP CODE
ČESKOSLOVENSKO
5 h
ČESKOSLOVENSKO
1
ČESKOSLOVENSKO
15 h
5
CENTS
US
POSTAGE
Sixth International Philatelic Exhibition Washington D.C. 20008
COD POSTAL
1500 DROBETA TURNU-SEVERIN
POSTA ROMANA
55 B
8
9
PRO-INFANCIA HUNGARA
80 CTS
ESPAÑA
CORREOS
INTERNATIONAL LETTER WRITING WEEK 1969
THAILAND
POSTAGE
50 ST
10
11
12

13

郵便屋さんは今日も

14

1 南ベトナム「人々に奉仕する郵便／南ベトナムの移動郵便局」、1969、3/4 枚組。小型バスが郵便局の役割を担ってます。

2 イタリア「切手の日」、1981、1/3 枚組。

3 トルコ「普通切手／郵便番号導入」、1985、2/6 枚組。オレたち郵便配達夫、ホイ♪みたいな…。楽しそう。

4 アメリカ「郵便番号を書こう」キャンペーン・キャラクター。1968 年からシートの余白（耳紙）に登場し、こまめに郵便番号記入を訴えてる ZIP コード兄さん。4 ポーズあるはずなんですが、まだ 2 ポーズしか手に入っていません。

5 チェコスロバキア「新聞切手」、1937、インパーフ、1/9 枚組。新聞郵送用切手。

6 スウェーデン「割引切手」、1979。国内宛の葉書および 100g 以下の封書に使用できる切手です。

7 チェコスロバキア「新聞切手」、1945、インパーフ、3/10 枚組。

8 アメリカ「第 6 回国際郵趣展示会 SIPEX、ワシントン」、1966。

9 ルーマニア「郵便番号導入」、1975。

10 スペイン「ハンガリーの子どもたちのために」、1956、1/6 枚組。よるべない姉弟はハンガリーの子どもたちでした。この年 10 月に始まったハンガリーの民衆蜂起に対し、11 月ソ連軍が介入し全土を制圧。数万人が死傷し約 20 万人が亡命。この切手はその年 12 月に発行されています。

11 中華民国（台湾）「切手の日」、1972、1/3 枚組。手紙が渦巻きに呑まれてしまう！…世にも珍しい自己否定切手？（しかも逆さに入れてしまいマシタ）。

12 タイ王国「国際切手週間」、1969、1/2 枚組。

13 ソ連「ソ連の郵便制度」、1977、3/5 枚組。〈自動化のために郵便番号を〉〈電気分類機〉〈郵便物輸送〉。妙にあでやかな郵便番号キャンペーン嬢。

14 ニューカレドニア「学校で郵趣に親しもう」、1978。ウサ坊ったらなんてコト！

私の切手蒐集

岡谷公二

現在の私は、蒐集とは全く無縁な生活をしているが、それは蒐集に無関心なためではない。凝り性なので、蒐集の深みにはまるのがこわいからである。

その私が一度だけ蒐集に凝ったことがある。子供のときの切手蒐集だ。きっかけは、父がなにかの折に買ってくれた切手帖と切手だった。

見も知らない国々の、三角や、四角や、長方形や、菱形の、まるで華麗な織物の端切れのような外国切手の美しさは、たちまち私の心をうばった。極彩色の、見たこともない鳥や蝶、奇妙な形をした寺院の塔や、ラクダに乗る人たちや、椰子のそびえる砂浜や、気品のある横顔を見せた皇帝や、謎めいた微笑を浮べる貴族の女性――切手の模様のひとつひとつが私の空想を強く刺激した。

外国の様子が即座に茶の間のテレビに映し出され、外国の映画や音楽が氾濫し、昨日渋谷の雑踏の中にいた人間が、今日はパリの歩道を歩むことのできる現在とは違い、当時――昭和十年代――外国は、現在の人間にとっての月や火星に比すべき場所だった。だから外国へのあこがれは、今と比べものにならないほど強かった。切手蒐集は、そのようなあこがれをいささかなりとも満たすことのできる、子供たちにとっての、ほとんど唯一の手段であった。

私はやがて、同じクラスや同学年に同好の士が何人かいることを発見した。私たちは、休み時間や放課後、切手に無知な連中に邪魔をされたくないので、校舎の人目につかない場所に集まり、コレクションを見せあい、不要な切手を交換し合った。私たちは、同じ秘密結社に属しているような誇りと喜びを共有していた。

1

1 昭和初期の銀座の夜店。
2 パリの切手市。シャンゼリゼ通りとフォーブル・サントノレ通りの間にあるガブリエル通り。玉井勝美『パリの切手市』より。

私は、小遣いをためては、学校の帰りに渋谷や神宮通りにあった切手屋へ友達と切手を買いに行った。なかなか連れていってもらえなかったけれども、銀座の夜店の切手屋では、珍しい切手がよくみつかった。そうなのだ、戦後は消えてしまったが、戦前、銀座の歩道には夜店が出たのである。とくに夏の夜店など、夕涼みがてら夜店を冷やかしに来る人々で、歩道は身動きができないほどの賑わいをみせた。明るい街灯の光の中で、爽やかな夜風に柳の葉がゆれ、団扇を片手にした、浴衣姿の若い女たちの下駄の音がひびき、焼きソバの匂いの漂うその夜店の熱気を、そこで母親に買ってもらったコスタリカの三角切手やパナマの特大の魚の切手とともに、今でも私ははっきり思い出すことができる。

私の切手蒐集熱は、中学へ入ってからも衰えることはなかった。しかし、外国は、私たちから一層遠ざけられ、隔てられていった。太平洋戦争の結果、大方の国が私たちの敵になってしまったからである。外国切手の蒐集は、そうした敵と内通しているかのような後めたい「非国民的行為」と見なされかねないものとなった。銀座には夜店が出なくなり、あちこちの切手屋は次々と店を閉じ、外国切手の入手そのものが不可能となった。そして昭和二十年三月十日の東京大空襲でわが家も罹災し、私は、それまで集めた切手を一枚残らず焼いてしまった。

1a

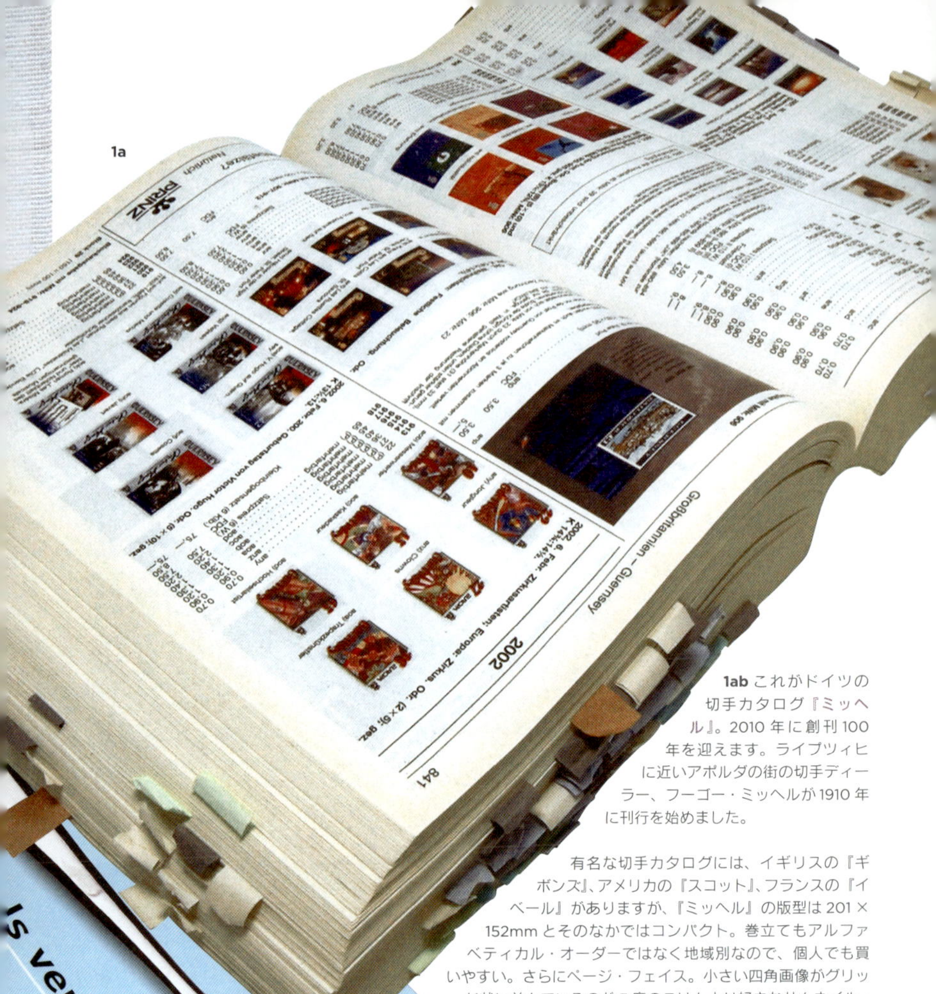

1ab これがドイツの切手カタログ『ミッヘル』。2010 年に創刊 100 年を迎えます。ライプツィヒに近いアポルダの街の切手ディーラー、フーゴー・ミッヘルが 1910 年に刊行を始めました。

有名な切手カタログには、イギリスの『ギボンズ』、アメリカの『スコット』、フランスの『イベール』がありますが、『ミッヘル』の版型は 201 × 152mm とそのなかではコンパクト。巻立てもアルファベティカル・オーダーではなく地域別なので、個人でも買いやすい。さらにページ・フェイス。小さい四角画像がグリッド状に並んでいるのが 3 度のごはんより好きなサムネイル・フェチのお仲間には特におすすめです。

そしてなによりドイツ人のカタログ魂！ すべての切手に説明がついてます。画像もセット組の切手を全部載せるのは当然、写真が用意できない切手は、トレース線画にしてでも絵柄を見せるという徹底ぶりにリスペクトを禁じ得ません。しかもそのカタログ魂の結実たるトレース画がヘタウマふうの情けない絵なのでユカイになっちゃいます。(『スコット』には画像が掲載されてない切手も多いですが、不掲載切手には政治的理由もあるということを最近知りました。1970 年代までは北ベトナムや中華人民共和国、また最近まで北朝鮮切手が、政府の「敵性国家」指定の禁輸品とであるという理由で不掲載であった由。そんなのあり？)。

2

2 オランダ「オランダ切手商連盟・切手蒐集家連盟 75 周年」、2003、ブックレット。

ミッヘルさん！

夜に日に『ミッヘル』を眺めていましたが、インターネット上の切手商から実際に買い始めておもしろかったのは、どの国の切手がどの国から来るかということです。ポーランド切手を買ったらイスラエルから届く、東ドイツ切手を買ったらブラジルから届く、ブルガリアの切手を買ったらロンドンから届く…というようなことがしばしばありました。イスラエルに入植したポーランドのユダヤ人？、ナチス残党狩りを恐れて南米に逃亡したドイツ人？、共産化を嫌ってロンドンに亡命したブルガリア人？ 歴史の本で読んでいた第２次大戦後の人々の移動、歴史や政治に脅かされて、切手を大量に所持して海を渡った人々の流れが（当時は切手が値上がりすると信じられていました）、本当にそこにあったのでした。

3 ヘレン・モーガン『世界最高額の切手「ブルー・モーリシャス」を探せ：コレクターが追い求める「幻の切手」の数奇な運命』も、本格フィラテリストの歴史と世界を覗くことができて読み応えある作品です。

4 平岩道夫『世界の切手』。古風ですが楽しい本です。

5

6

7

8

5 ドイツ「白熱電球150年」、2004。

6 スウェーデン「割引切手」、1980。

7 パキスタン「児童の幸福と権利」、2004。

8 ドイツ「エーリッヒ・ケストナー生誕100年」、1999。「エミールと探偵たち」挿絵。

3

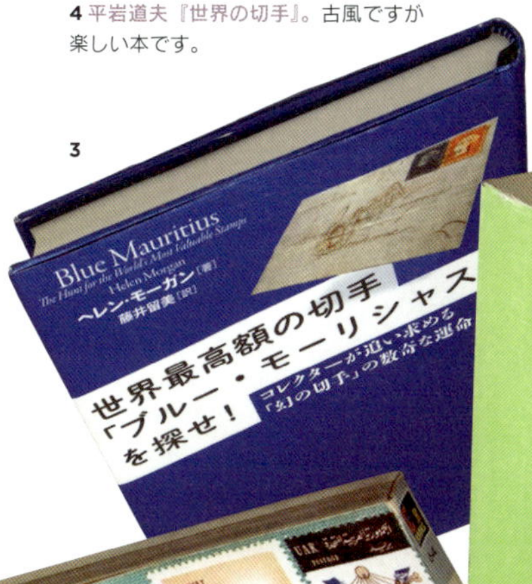

4

1b

1

2a

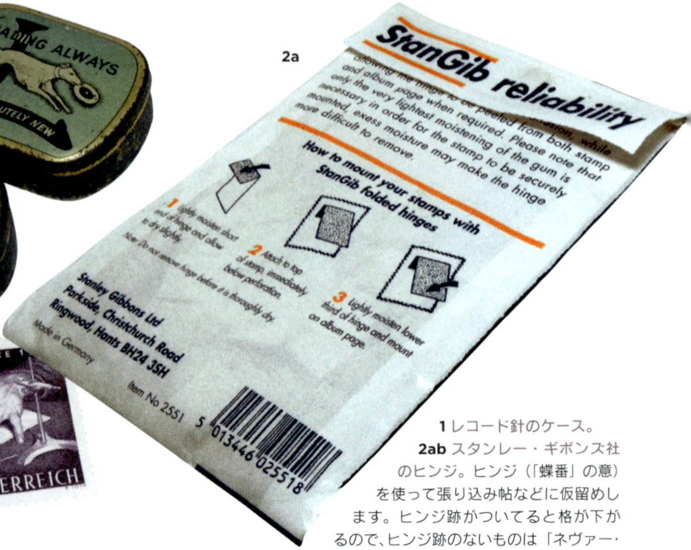

3

1 レコード針のケース。
2ab スタンレー・ギボンズ社のヒンジ。ヒンジ（「蝶番」の意）を使って張り込み帖などに仮留めします。ヒンジ跡がついてると格が下がるので、ヒンジ跡のないものは「ネヴァー・ヒンジド」と明記されてます。
3 オーストリア共和国「切手の日」、1962。克明に描かれた凹版切手を彫る彫版師の手つき。
4 シート用のグラシン・ファイル。

4

切手蒐集グッズ

2b

5

5 切手用ピンセットは 1878 年頃ライプツィヒの時計職人が製作。
6 買った切手が入ってくる封筒や各切手商の使う郵趣グッズも愉しみです。

6

7

7 ルーマニア「切手の日」、1959、2/2 枚組。
8 プレパラートのガラス・カバーの入っていた木箱。
9 スウェーデン「ヨーロッパ切手」、1983、1/2 枚組。〈バレエ／レジェのスケッチ〉。
10 オーストリア「切手の日」、1953。

8

9

10

布貼りの切手帖をつくろう！

製本指導：西尾 彩

ブックバインダーの西尾彩さんのシトラス・プレスに伺って切手帖を作ってきました。グラシン・ポケットの中身ページは市販品を流用、表紙布は着物の古布と（なぜかハンガリーぽい）、濱文様さんのてぬぐいです。背に別布のカンバス地を使う製本方式にしたので、開きが良く、3冊の統一感もでました。

的確な指導でちゃくちゃくと進む作業も楽しく、また、西尾さんのきびきびした道具あしらいや、イギリスでの修行で身に付けた力強い手の動きに見とれてしまった一日でした。

表紙布を裏打ちする紙に糊。

この技！

板に仮貼りして乾燥。

見返しを折ります。

本体に見返しを貼り、

背に糊を塗ります。

寒冷紗を貼り、

カンバス地に背の台紙。

布で表紙をくるんでおき、

表紙をセット。

見返しに糊を塗り、

プレス機にかけた後、重しを。

消印の迷路をさまよい、架空の切手の王国に棲まう

伴田良輔

FDC（ファーストデイ・カヴァー）は、新しい切手の発行を記念して出されるもので、切手を封筒に貼り、発行当日の日付印（消印）を押してもらうシートのことである。切手それぞれに合わせて特別にデザインした記念印が押され、切手のテーマに合わせたcachet（カシェ）と呼ばれる絵柄が印刷されている。

FDCは19世紀末のアメリカにあらわれ、1920年代のおわりにひろく普及した。やがて1950年代にヨーロッパにひろがって、切手収集家のあいだで大きな楽しみを形成していった。FDCの魅力は、テーマごとに趣向をこらしたcachetの絵柄を含む封筒全体のデザインにあるが、ぼくはその中でとくに記念印の面白さに注目した。記念印は、円または矩形の中に、これもテーマにあわせたデザインがほどこされている。それをじっと見ていて、「これは一種の迷路図だ」と思った。

古代クノッソスの迷宮、フランスのシャルトル大聖堂の床に描かれた迷路、セント・クエンティンの教会の迷路……記念印をみていると、こうしたヨーロッパの教会や庭園の迷路を思い出す。古代から連綿と続いて来た迷路への偏愛が、こんなところに顔を出している？

FDCのデザインの面白さで特に注目すべきはオランダである。記念印も、どれも唸りたくなるほどチャーミングだ。円と四角、直線と曲線、アルファベットと数字が自在にデザインされている。

どうしてオランダ？ と考えてみる。オランダは16世紀から18世紀にかけて数学の発展に大きな役割を果たしている。哲学者であり数学者でもあったデカルトは1628年、32歳のときにオランダに移住、アムステルダムで孤独な研究生活に入った。2つの実数を点に置き換える「座標」の考え方を発見したデカルトにとって、オランダは最高の瞑想空間だった。その後継者ともいえるオランダの哲学者スピノザはアムステルダムに生まれている(1)。スピノザは、神は人間の中ではなく「幾何学」の中に見いだされるとした。オランダは、古代ギリシアがそうであったように、哲

1

2

3

4

1「スピノザ生誕 300 年」、1977、FDC 記念印。
2「オランダ電話網完全自動化」FDC、1962。
3「オランダ赤十字社 100 年」FDC、1967。
4「社会・文化福祉事業募金切手・夏／考古学的発見」FDC、1977。

5

7

5「子どもたちのために／ゲーム」FDC、1973。
6「万国郵便連合（UPU）100 年」FDC、1974。
7「子どもたちのために／メルヘン」FDC、1968。
8「王立オランダ自動車協会 100 年」FDC 記念印、1983。協会の発行するルートマップを思わせる消印。一人当たりの自転車保有台数世界一を誇るオランダならではの自転車マップも発行してます。

6

8

学や数学を、ふたたび幾何学へと橋渡しした。

その国に、ヴァリエーションに富んだ幾何学的記念印があるのは、偶然ではないだろう。具体的に記念印のデザインを見て見よう。「子供たちのために／ゲーム」(5) というFDCでは、記念印が標的のパズルになっている。切手は「チェスボード」と「3目並べ」「迷路」「ドミノ」というゲーム／パズルの基本ともいうべき図案。同心円や格子模様に、数字が組み合わさって、視覚的なリズムと楽しさを存分に表現している。「子どもたちのために／メルヘン (7) は、5枚組の切手と、記念印のセット。記念印は魔法の杖であり、山を上から見た鳥瞰図にも見える。cachet の絵柄とあいまって、まるで魔法使いの住む山のようだ。「万国郵便連合」(6) は、エッシャーの絵を思わせる数学的騙し絵だ。

「王立オランダ自転車協会100年」(8) は長方形の記念印だ。これを見てぼくはすぐに、アイザック・ニュートンが考えた経路のパズルを思い出した。3 × 3列にきちんと並んだリンゴがあって、そのうち3つずつを串刺しにする10の並べ方をかん

9

がえなさい、という問題だ。この記念印もやはり、11の地点をつなぐすべての自転車の経路（ルート）の数を数えるための図だから、ニュートンのパズルと同種のパズルの解答図である。点と点をつなぐ線が、宝石のような美しい図形を生み出している。

オランダのFDCを眺めながら、ぼくはアメリカに生まれてオランダに惹かれ長期滞在し、そこで短い生涯を終えた画家、ドナルド・エヴァンズの創作した切手を思い出していた。エヴァンズは架空の国の架空の町の切手を、オランダで描き続けた。火事で他界するまでに描いた切手の種類は3000種を超えた。どの切手

にも現実の切手にも劣らぬ、いや、それ以上の背景や物語があった。切手への愛が、現実の切手を超えてしまった。リラダンの小説『未来のイヴ』では、女を愛する男（エワルド卿）と、その女の人形を作る男（エディソン）とは別々の存在だったが、ドナルド・エヴァンズにおいては切手を愛する男と切手を作る男は、同じ一人の人間である。自己完結した幸福な切手愛。それにしてもエヴァンズは、おびただしい数の切手を創作しながら、いったいどこに行こうとしていたのだろうか。

いや、おそらくエヴァンズはどこかに行こうとしていたのではない。切手の中の世界に入って、そこに住もうとしていたのだ。その中はひょっとしたら、エヴァンズ以外には、いったん入ったら出口まで戻れないような迷路になっていたかもしれない。迷路を戻ってくるためにはアリアドネの赤い糸を張ってすすむ必要がある。エヴァンズの切手の国では、エヴァンズだけがその糸の持ち主だった。だから、ぼくたちはエヴァンズの切手の国をさまよい、迷路をはてしなくゆきつもどりつする。そしてそれは迷路の楽しさそのものでもあるのだ。

考えてみれば、切手を生み出した「郵便」というシステムじたい、迷路的である。郵便の出し手がポスト（迷路の入り口）に手紙を入れると、郵便物は枝分かれしたルートから一つ一つのルートをそのつど選択しながら郵便受け（迷路の出口）まで旅をする。

10

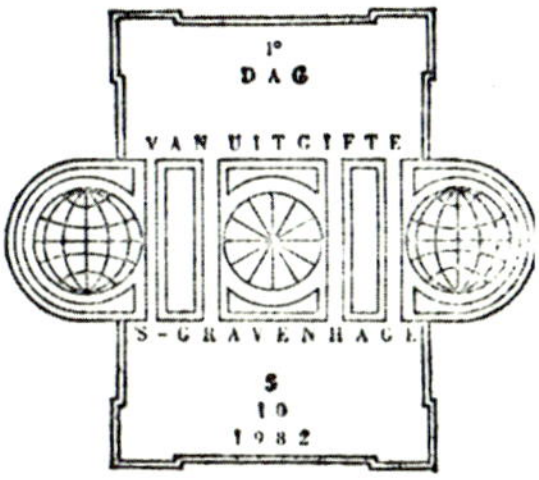

11

9「ヨーロッパ切手／欧州郵便電気通信主管庁会議（CEPT）25周年」、1984、FDC記念印。
10「ヨーロッパ切手／郵便と電気通信の歴史」、1979、2枚組、FDCカシェと記念印。通信衛星が実用化されるまで、モールス通信は長く海上での唯一の通信手段であり、タイタニック号のSOS（… ー…トントントン・ツー・トントントン）は有名。この記念印は上半分がモールス符号、下半分が切手の目打ち（ふちのギザギザ）が彫られています。消印のモチーフがさらに展開されているのが封筒のカシェで、無限によせる波の波頭が切手の目打に、傾いた船舶は切手となりモールス信号を発している…なかなかに幻想的、シュールな図柄。切手と消印とカシェ、それぞれが異なるタッチで「郵便と電気通信」を図案化してお見事！
11「ダム広場の王宮」、1982、FDC記念印。

KRPOST
YTEKE
5
10
15
R
STAD GEEST
97001
80
100
50

郵便は切手を貼り、投函さえすれば終点に届く。しかし切手そのものには終点はない。そこに宛名は書いてないからだ。迷路の出口は切手からはわからない。消印の一部だけが見える使用済みの切手に惹かれるのは、迷路に迷う快楽を、じつはぼくたちが求めているからかもしれない。ここではないどこか別の場所、想像力の中にしかない町へたどりつくために。

FDCのコレクションを眺めながらそんなことを考えていた。

12 ドナルド・エヴァンズ「Yteke. 1970.Pictorials. Tourism promotion」、1974。オランダ、ハーグに滞在していたエヴァンズは、友人につれられて訪ねたモダン・ダンスの劇場「ネザーランド・ダンス・シアター」で、伝説的ダンサー、「輝く王女のような若い女性」、イテケ・ヴァーテルボルクに出会う。彼女に魅せられたエヴァンズは、王国「イテケ」を切手の中に創造し、女王イテケの肖像切手のほか、王国の風土、歴史、動植物のシリーズなどを制作した。左はヨーロッパ最北部に位置するとされる王国イテケの、北の光にみちた水の光景。愛が生んだ架空の国。

GLENVEAGH
GLENVEAGH
FROM THE DOVECOTE
GLENVEAGH
FROM THE DOVECOTE
GLENVEAGH
GARDEN BULBS IN COLOR
McFarland
Foley
McFarland/Macmillan
COUNTY DONEGAL
Lough Veagh from The Dovecote
5 IX 76
GLENVEAGH
MUCKISH MOUNTAIN
① Approaching Glenveagh.
② The Castle
③ The Pleasure Garden
④ Lough Veagh
Muckish Mountain

13

14

13 ドナルド・エヴァンズ「Glenveagh sketch sheet」、1976。エヴァンズは1976年、ヘンリー・マクレニーに招かれてアイルランド北部の城に滞在した。滞在中、エヴァンズはマクレニーへの感謝をこめて、Glenveaghという架空の国の切手と消印を構想した。風景切手や消印のデザイン、FDC、そして国王マクレニーのシルエットなどの構想がここにスケッチされている。出会った人々にちなむ国々を切手によってつくりだすエヴァンズ独特の創作過程を、友人のウィリー・アイゼンハートが解説している。

14 ドナルド・エヴァンズ「Selamat Makan. 1963. Native fruits」、1977。ネザーランド・ダンス・シアターの近くにあったインドネシア料理レストランSoeboerに、エヴァンズはしばしば通い、やがてレストラン経営者の家族や友人から、インドネシア語を教わるようになる。そしてできたのが架空の共和国「Selamat Makan（スラマ・マカン）」だ。国の名前はインドネシア語で「食事をお楽しみください」という意味である。エヴァンズはオランダの市場で目にした東インド諸島の美しいフルーツを、この国の切手にした。

エピローグ

切手蒐集の翌朝

ムーミン谷で植物採集をしているヘムレンさんは、元は切手コレクターでした。ある日ついにすべての切手を手に入れてしまい、「もう切手を蒐める人じゃなくてコレクションの持ち主にすぎない——そしてそれはそんなに楽しいことじゃない」と絶望した彼は、スノークの助言によって、けして蒐めきることのできない植物蒐集家に転向したのです。完全にカタログ化されているという切手の面白さと面白くなさをなにげなく語るトーヴェ・ヤンソンはやはりただ者ではありませんが、彼女の母シグネが多くの切手を手がけたデザイナーだったということを後で知りました。

この本は、いまやりっぱにトピカル化している「カワイイ切手」本です。蒐めるにあたっては可愛いかどうかしか考えてないので、銃剣をもったプロパガンダなひとたちなどいっさい省いてスットボケてますが

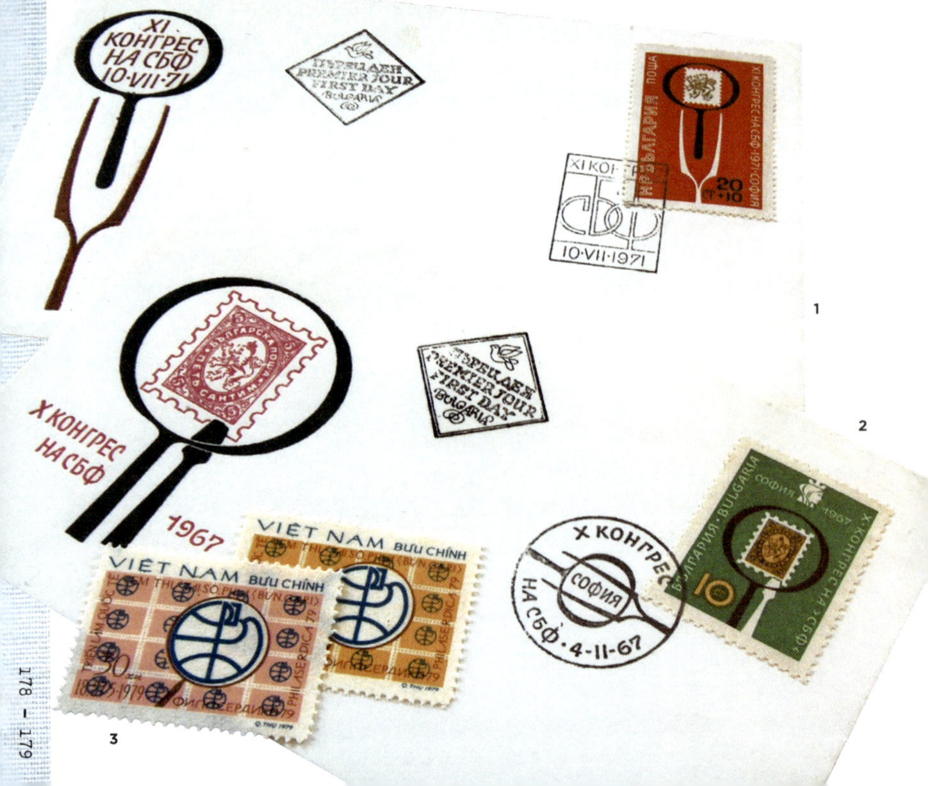

1

2

3

1 ブルガリア「ソフィア郵趣家会議」FDC、1971。
2 ブルガリア「ソフィア郵趣家会議」FDC、1967。
3 北ベトナム「ソフィア切手展示会」、1979、2/2 枚組。
4 トルコ「アンカラ切手展示会」、1965。
5 イタリア「切手の日」、1963。
6 オランダ「IBM チェス・トーナメント」、1978、1/2 枚組。

どうかお赦しください。

しかしコラムを寄せてくださいました先生方が、いまも切手が歴史と地誌のすばらしく精緻なインデックスであることを十全に示してくださいました。先生方、ほんとうにありがとうございました。

また国々の文化や言語、切手発行についてこころよく知識を分け与えてくださったくみなさまに、心よりお礼を申し上げます。

ほしい切手がだいたい集まってくると、「切手をいっとう生き生きと見せるには、どんな造本をしたらいいんだろう？」と考えるようになりました。2次元であって2次元じゃない切手の、目打のギザギザや、インクの盛りや、糊のおこす反りをどうやってブック・フォームに納める？「祖父江慎さんだったら切手の本をどんなふうにつくるだろう？」とずっと考えていたので、祖父江さんに造本をお願いできてほんとうにうれしかった！ そしてこのように「根つめてるんだけど、どっか無頓着」がコンセプトのすばらしい造本を考えてくださいました。祖父江さん、福島よし恵さん、ありがとうございました。

4

5

切手写真1枚1枚を細やかに製版・印刷してくださったシーフォースさん、祖父江さん考案の楽しい「なんちゃって別布背表紙」で製本してくださったブックアートさん、丁寧なお仕事、ありがとうございました。

当時ほとんどプー太郎だったというのに思いっきり切手を蒐められたのは、見つけてきた切手をいっしょに愉しんで、月兎社のサイトで購入してくださった諸嬢のおかげです。月兎社の出版活動をいっしょにおもしろがって、パトロネージしてくださるみなさんと直接ふれあうことで、紙の本は消えないといつも確信を新たにしています。書店や雑貨店のみなさまにもたいへんお世話になりました。

そして、本書を出版してくださった国書刊行会さんと、「カワイイ切手の本」とだまして？ 企画を通してもらったにもかかわらず、人文書編集者の血が暴走してしまいましたその全課程を、共に面白がり、パワフルに緻密にサポートしてくださった編集部の萩原玲子さんに深く感謝いたします。萩原さんに担当していただいて、本もわたしも幸せ者でした。ありがとう。やっぱり本は愛がなくちゃね！

2010年新春
加藤郁美

6

ふかふかパンと黄金の麦畑

さてもみなさま、おかげさまで初版完売、増補新版を出すことができました。裏がシールのセルフ糊切手の増加、果てはデジタルコード化による切手消滅と、さまざまな波が押し寄せている近年の切手界ですが、あくまで切手らしい切手をもとめてゆく所存です。

1abc ポルトガル「各地方の伝統的なパン」、2009、6/6 枚組。洗練された写真を大胆なトリミングで見せることが上手なポルトガル切手。目打ちが凝っていて、鉄十字ふうの型が浮かびます。

2 イスラエル「国連食糧農業機関（FOA）／世界食料デー」、1984、シングル。

3 フランス「アンシの〈散歩道〉」、2009、シングル。アンシ(1873-1951)は、独仏境界のアルザス地方の文化をモチーフにした作品で親しまれた絵本作家。

4 アイスランド「キリスト降誕祭のパン」、1981、2/2 枚組。ロイバブロイズ(葉っぱのパン) という、油で揚げる薄い薄いパン。専用の道具で模様をつけます。

5 スウェーデン「食文化」、2010、2/6 枚組。〈ワッフルとクラウドベリー〉ワッフルもクリスピー。〈クリスプブレッドとヴェステルボッテン地方のチーズ〉。

6 キプロス「飢餓からの解放」、1963、シングル。

7 マダガスカル共和国「飢餓に立ち向かう世界会議」、1974、シングル。

8 東ドイツ「ソルブ人の風習」、1982、1/6 枚組。〈鳥の結婚式〉。ドイツ東部に居住するスラブ系少数民族、ソルブ人。「鳥の結婚式」は食べ物をもらった小鳥たちがお礼に子どもたちを結婚式に招くという1月のお祭り。鳥や花嫁花婿の衣装を身につけ、冬の一日を楽しく過ごします。

9 スウェーデン「クリスマスのジンジャー・クッキー」、1997、FDC。クリスマスといえばこの薄いジンジャークッキーと、ウォトカ＆ハーブの飲物スナップス。

10 ニジェール共和国「世界勤倹デー」、1973、シングル。

11 アメリカ「ワード＆ワード・ベイカーズ」の広告封筒。

12 モナコ「ヨーロッパ切手」、1962、2/3 枚組。麦畑と連なる藁山。

13 サンマリノ「農産物」、1958、1/5 枚組。〈小麦の穂〉。

14 モナコ「国連食糧農業機関（FAO）／飢餓の撲滅」、1963、シングル。

1
VIỆT-NAM
DÂN CHỦ CỘNG HÒA
12 xu
12 xu
50 xu
2
HONG KONG, CHINA
$2.50
$5.00
$1.30
$3.10
中國香港
Hong Kong Tea Culture
3
CAMBODGE
FAO
POSTES
4
5
CAMBODGE
POSTES
6
8B.
1/4 B.
YEMEN ARAB REPUBLIC
POSTAGE

182 – 183

7

8

9

東方的豊穣。鍋と蒸籠と丼と

1 ベトナム「身近な果物／メロン」、1969、3/5 枚組。〈ウォーター・メロン〉〈カナリア・メロン〉〈ウィンター・メロン〉。

2 中国香港「香港の喫茶文化」、2001、4/4 枚組。〈香港式ミルクティー〉エバミルクと大きな布製の濾過袋が香港式。〈茶器の準備〉茶具は徹底的にあっためる！〈中国南部の功夫茶〉清代に福建省で始まった手間ひまかけて楽しむ烏龍茶の飲み方。〈食後のお茶〉急須を使わず蓋碗で。香港男性の趣味として、鳥籠をさげて公園などにゆき、啼き合わせをするというのがあります。かつて旺角にあった雲夾茶楼は、窓辺に鳥籠を掛けてお茶を飲む、鳥好きたちの店でした。

3 カンボジア「国連食糧農業機関（FAO）／飢餓の撲滅」、1963、2/2 枚組。

4 ラオス「果実」、1968、1/4 枚組。〈タマリンド〉。ラオスではタマリンド・キャンディーがポピュラーなおやつ。

5 カンボジア「身近な果物（第 2 集）」、1962、3/3 枚組。〈ギュウシンリ〉〈カルダモン〉内戦で荒れた国土で最も動植物の生態系を残すのはカルダモンが自生しているカルダモン山脈。〈マンゴスチン〉「果物の女王」。しかし砂糖と食べ合わせると全身の毛穴から血をふきだして死ぬとご当地では信じられてます。

6 イエメン・アラブ共和国（現イエメン共和国）「果実」、1967、3/10 枚組。〈イチジク〉〈ブドウ〉〈イチジク〉。紀元前 8 世紀以前に建国されたイエメンは、有史以前から栽培されていたイチジクの原産地とも言われています。

7 中華民国（台湾）「台湾の美味しいごはん（第 2 集）」、2013、2/4 枚組。〈臭豆腐〉〈肉団子〉。フラットな背景画に庶民ご飯がドン！とおいてあって面白い切手。タブのイラストも可愛いです。

8 中国マカオ「マカオ美食フェスタ 10 周年」、2010、2/4 枚組。〈小籠包〉〈ポルトガル式カスタードクリーム・タルト〉。

9 大韓民国「韓国料理第 4 集・宮中料理」、2004、4/4 枚組。〈ファヤンジョク〉〈シンソルロ〉〈クジョルパン〉〈ビビンバ〉。

1
3952 ILULISSAT
11. JUNI
1987
FRIMÆRKETS UDGIVELSESDAG · ULLOQ FRIMÆRKIP ATULERFIA
KALAALLIT NUNAAT
3.80
GRØNLAND
2
REPUBLIQUE ISLAMIQUE DE MAURITANIE
10F
30F
5F
PROMOTION DE LA FEMME
POSTES
3
EXPOSITION UNIVERSELLE · OSAKA 1970
150F
REPUBLIQUE FEDERALE DU CAMEROUN
FEDERAL REPUBLIC OF CAMEROON
POSTE AERIENNE
4
REPUBLIQUE FRANÇAISE
0,30
POSTES
5
"LA CARRIERE D'UN NAVIGATEUR"
1902 MONACO 1977
6
REPUBLIQUE DU DAHOMEY
100F
POSTE AERIENNE
CENTENAIRE DE L'ORGANISATION
METEOROLOGIQUE MONDIALE
1873 1973
7
MONACO
PASSAGE de la COMETE de HALLEY 1986
8
REPUBLIQUE DE HAUTE-VOLTA
100F
POSTE AERIENNE

凹版切手のアフリカ、ハレー彗星ほか

1 グリーンランド「昔の生活用品」、1987、1/2 枚組。〈雪眼鏡〉FDC。骨や樹で作られるイヌイットの遮光眼鏡。
2 モーリタニア・イスラム共和国「女性の地位向上」、1967、3/5 枚組。〈刺繍〉〈裁縫〉〈機織り〉。フランス国立印刷局の J・フュルパン（→ p.33）のデザインと彫版。
3 カメルーン共和国「大阪万国博覧会」、1970、2/3 枚組。〈オーストラリア館〉〈日本館〉。**4** フランス「パリ切手展示会」、1964、1/4 枚組。〈郵便業務を図解する〉。
5 モナコ「アルベール 1 世『ある航海者の記録』出版 75 年」、1977、1/9 枚組。〈マンボウの捕獲〉。海好き大公（→ p.74）。
6 ダオメ共和国（現ベナン共和国）「世界気象機関（WMO）100 年」、1974、シングル。
7 モナコ「ハレー彗星」、1986、シングル。
8 オートボルタ共和国（現ブルキナ・ファソ）「世界気候会議」、1969、シングル。
9 マリ共和国「サン＝ルイ島 300 年」、1959、シングル。フュルパンの見事なデザイン・彫版。仏領西アフリカの首都、奴隷貿易港として築かれた三角州の植民計画都市が飛行機のように碧空に浮く航空便切手。
10 マリ共和国「昆虫」、1967、2/3 枚組。〈エラハリゼミ〉〈ミドリオオツノハナムグリ〉。
11 マリ共和国「グルノーブル冬季オリンピック」、1968、1/2 枚組。〈選手村〉。
12 マリ共和国「ソツバ畜産研究所」、1963、1/2 枚組。ウシもヒヨコもだいじ。
13 マリ共和国「トンブクトゥ」、1961、2/3 枚組。14-16 世紀の砂漠の大帝国、マリ帝国・ソンガイ帝国の時代に栄えた金と岩塩の交易都市、宗教・学問の中心地。〈F・デュボワ「トンブクトゥ：神秘」〉19 世紀の仏人探検家デュボワの線画豊富な探訪記と、〈サンコーレ・モスク〉20 世紀の仏国立印刷局の名匠 P・ギャンドン（→ p.31-3）の手掛けた切手はともにエキゾチシズムの図像。21 世紀のトンブクトゥは、砂漠化で砂にのまれそうになりながら、内戦、イスラム過激派による歴史的街並みの破壊、旧宗主国仏軍の介入の場となって、危機的状況が続いています。

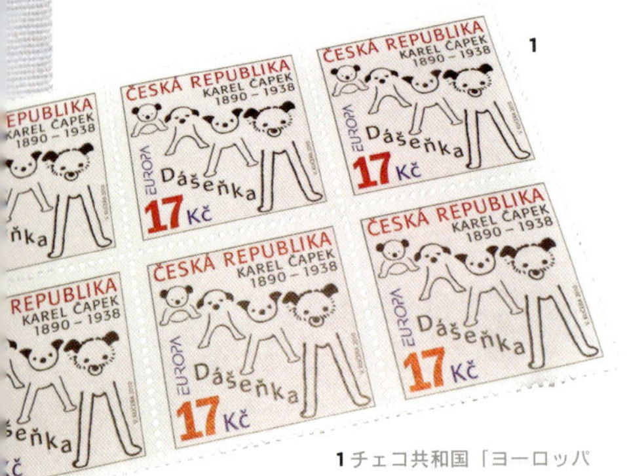

1 チェコ共和国「ヨーロッパ切手／カレル・チャペックの〈ダーシェンカ〉」、2010、シングル。『長い長い郵便屋さんの話』や『ロボット』の作家チャペックが自ら描いた愛犬ダーシェンカの物語。ぐんぐんおっきくなるダーシャ。

2 日本「白十字結核シール」、1958-9。なわとび少女。タナカヒカル（デザイン・以下D）。

3 日本「複十字シール」、1960。〈こけし〉。宮林光男（D）。

4 日本「白十字シール」、1960。〈雪ん子〉。竹内栄子（D）。

5 日本「複十字シール」、1958-9。〈天使とクローバー〉。竹内栄子（D）。この回から、結核予防への一般の関心を高めるため図案の公募がはじまりました。

6 日本「複十字シール」、1967-8。〈雪の結晶〉。森島晟（D）。

7 日本「複十字シール」、1962-3。〈日本の果物「ざくろとかき」〉。椿本信一（D）。

8 日本「複十字シール」、1957-8。〈日本の鳥「すずめ3態」〉。鏡光男（D）。

9ab 日本「複十字シール」、1956-1957。〈3人の子供〉。鏡光男・藤井喜美子・嶋高宏（D）。

10 日本「複十字シール」、1956。〈青い鳥にのって〉。大橋正（D）。

デンマークのクリスマス・シール運動（→ p.121）にならい、日本でも結核の予防と回復者の支援を行うためのシール運動が1925年（大正14年）に始まりました。同時代の日本の切手デザインはやや生真面目ですが、複十字シールの図案には、大正デモクラシー期の童画や、昭和の民藝運動を思わせる自由闊達さがあります。

そしてふたたび、「子どもたちのために」

11

11 ソマリア連邦共和国「子どもたちのために／哺乳類」、1960、3/4 枚組。〈シマウマ〉〈サイ〉〈黒板にキリンを描く子ども〉。学ぶ子ども、遊ぶ子ども。……多くの国々が旧宗主国から独立した 1960 年「アフリカの年」以降、切手の世界にも生き生きとしたアフリカの子どもたちが登場しました。しかし飢餓や内戦によっていまも多くの子どもたちが危険にさらされています。

12 マリ共和国「子どもたちに本を」、1976、シングル。

13 シリア「ユニセフ 25 年」、1971、2/2 枚組。

14 マダガスカル共和国「国際子ども年」、1979、シングル。

15 マダガスカル共和国「子どもの権利条約立法 25 年」、1984、シングル。カバンに乗って飛んでゆく〜。

16 マダガスカル共和国「子どもたちに本を」、1976、2/2 枚組。〈本を読む子ども〉〈本棚の前の子ども〉。

12

13

14

＊　＊　＊

15

16

2014 年、増補新版を作るにあたって、「2010 年の君は、歴史の一方向的な進歩を信じてたねえ」という感慨にとらわれてしまいました。本書に掲載されている 1960 年代の切手の多くは、ふたつの全体主義を乗り越えた人々が、世の中が民主主義、法治主義、基本的人権、表現の自由へ向かっていくことを喜び、そのなかで子どもたちを育ててゆけるという希望のデザインを謳いあげたものです。2010 年のじぶんはそれを、すでに通過済みの、歴史のひとコマとして蒐集してしまっていたのです。……しかし 2011 年、震災によって東京電力福島第一原発事故が起こり、すべてが大きく変わってしまいました。1960 年代の希望の図像の続きにいるとのんきに思っていたのに、むしろ全体主義が力を持ち始める 1930 年代に近いところに立っているというこの戦慄。しかも子どもたちの安全や幸福がかつてない仕方で脅かされています。……だけど呆然とばかりはしていられません。ふたたび切手帖を開くと、そこには懸命に歴史を生きた人々の姿が、こんどはリアルにたちあがってきました。そして君らも歴史を生き抜け、という声が聞こえるような気がします。生き抜いて、じぶんたちの時代の「子どもたちのために」を謳いたまえ、と。

2014 年新春　加藤郁美

17 オランダ「子どもたちのために」、1949、2/5 枚組。〈新年〉〈冬〉。

18 トルコ共和国「結核予防募金シール」、1960。

17

18

追伸・国書刊行会さんと、担当の永島成郎さんに、心より感謝します。ありがとうございました。

参考文献・DVD

全般

MICHEL -Europa-Katalog 2004/2005, 2004, Schwaneberger Verlag

MICHEL -Übersee-Katalog 2004/2005, 2004, Schwaneberger Verlag

MICHEL -Junior-Katalog 2005, 2004, Schwaneberger Verlag

『JPS 外国切手カタログ／スウェーデン切手』、2004、日本郵趣協会

斎藤毅『世界・切手国めぐり』、1997、日本郵趣出版

斎藤毅『続 世界・切手国めぐり』、2004、日本郵趣出版

魚木五夫『外国切手の集め方』、1979、日本郵趣出版

日立デジタル平凡社『世界大百科事典 ver1.2』、1998

伊東孝之他監修『新訂増補 東欧を知る辞典』、2001、平凡社

p.7

ジョーナ･オーバック監督『Dear フランキー』（2004 年製作映画 DVD）、2007、ハピネット

p.9

ヘレン・モーガン『世界最高額の切手「ブルー・モーリシャス」を探せ！：コレクターが追い求める「幻の切手」の数奇な運命 』、藤井 留美訳 、2007、光文社、p.44-46

p.13

百瀬宏編『北欧史』、1998、山川出版社「新版・世界各国史 21」

白幡洋三郎『プラント・ハンター：ヨーロッパの植物熱と日本』、1994、講談社・選書メチエ 6、p.23-25

p.16

『スウェーデンのテキスタイル・アート』展図録、1987、京都国立近代美術館・群馬県立近代美術館・世田谷美術館

ロヴィッカ・ミトンについては、ソルヴェイ・ラルセンさんにお教えいただきました。ミトン作品が美しい HP は、http://www.solveigs-vantar.se/

p.20-23

島崎信・柏木博ほか『北欧インテリア・デザイン』、2004、平凡社・太陽レクチャーブックス

島崎信『デンマーク デザインの国：豊かな暮らしを創る人と造形』、2003、学芸出版社

「スラニア自作ベスト 10」（『スタンプマガジン』2005 年 7 月号）、p.20-21

p.25

アーティストハウス『メッセージ・フロム・チェコアート』、2006、アーティストハウス

前掲『新訂増補 東欧を知る辞典』、p.223-224

p.29

阪口 浩平他『原色世界蝶類図鑑』、1975、保育社

p.31

海野弘・文、宮本唯志・写真『フランス ロワール古城めぐり：絢爛たるロマンと追憶に心解き放たれる』、1996、講談社・カルチャーブックス 、p.20-21

p.33

Philippe Drillien,"Hommage à Marc LEGUAY", TIMBRES MAGAZINE (no.29 Novembre 2002). 筆者は国際ラオス切手コレクター協会会長。生前おこなったルゲへのインタヴューに基づいた記事。

p.35

世界民主主義青年連盟公式サイト http://www.wfdy.org/

p.43

前掲『新訂増補 東欧を知る辞典』、p.402-403

p.49

増田義郎編『ラテン・アメリカ史 II 南アメリカ』、2000、山川出版社「新版・世界各国史 26」、p.499-500（増田義郎執筆）

p.51

内藤陽介『中東の誕生：切手で読み解く中東・イスラム世界』、2002、竹内書店新社

p.52-61

ジョアン・フォンクベルタ『スプートニク』、管啓次郎訳、1999、筑摩書房

武部俊一『宇宙開発の 50 年：スプートニクからはやぶさまで』、2007、朝日新聞社／朝日選書

p.62-65

今関 六也他『日本のきのこ』、1988、山と渓谷社

飯沢 耕太郎他『考えるキノコ：摩訶不思議ワールド』、1988、INAX 出版

p.67

バーバラ・スタフォード『アートフル・サイエンス：啓蒙時代の娯楽と凋落する視覚教育』、高山宏訳、1997、産業図書、p.255-327

西田豊穂「虫切手の宇宙誌」（『スタンプマガジン』2005 年 9 月号）、p.27

p.69

キャリー ホール他『完璧版 宝石の写真図鑑：オールカラー世界の宝石 130』、宮田七枝訳、1996、日本ヴォーグ社

パルフィ・ジョージ他『ハンガリーの建築タイル紀行：ジョルナイ工房の輝き』、2005、INAX 出版、p.40-41

今泉文子「地下世界通信」（『ノヴァーリスの彼方に：ロマン主義と現代』所収）、2002、勁草書房、p.126-139

p.71

大谷博『切手ワンダーランド』、2003、日本郵趣協会、p.16

Francis Ross Holland, Jr. *America's Lighthouses : An Illustrated History*, 1972, Dover Publications Inc. , p.112-115

P.73

ジェームズ･W･ミラー他『海中居住学』、関邦博他訳、

1992、丸善、p.1-2、p.59-66
ジャック·イブ·クストー『太陽のとどかぬ世界』(1964 製作映画 DVD)、2005、コロンビアミュージックエンタテインメント
P.79
佐藤次高編『西アジア史Ⅰ』、2002、山川出版社「新版・世界各国史 8」、p.419-425(加藤博執筆)
P.81-85
加藤薫『ラテンアメリカ美術史』、1987、現代企画室
リンカーン・クッシング『革命！キューバ★ポスター集』、2004、ブルースインターアクションズ
『アイデア NO.33 Cuba Poster』(2004 年 3 月号)、誠文堂新光社
P.91-93
生井英考『ジャングル・クルーズにうってつけの日：ヴェトナム戦争の文化とイメージ』、新版 2000、三省堂
内藤陽介『反米の世界史：「郵便学」が切り込む』、2005、講談社現代新書
後小路雅弘監修『ベトナム近代絵画展図録』、2005、産經新聞社
p.97
内藤陽介『北朝鮮辞典：切手で読み解く朝鮮民主主義人民共和国』、2001、竹内書店新社、p.233、p.351
p.99-107
武田雅哉『新千年図像晩会』、2001、作品社
武田雅哉『よいこの文化大革命：紅小兵の世界』、2002、廣済堂出版
内藤陽介『マオの肖像：毛沢東切手で読み解く現代中国』、1999、雄山閣出版
p.109
伊東孝之他編『ポーランド・ウクライナ史』、1998、山川出版社「新版 世界各国史 20」、p.359-413(伊東孝之執筆)
ヤヌシュ・コルチャック『子どものための美しい国』(原題『マチウシ 1 世』)、中村妙子訳、1988、晶文社。引用はブルーノ・ベッテルハイム解説、p.495
ヤヌシュ・コルチャック『マチウシ 1 世王』、大井数雄訳、2000、影書房（スロコフスキ挿絵あり）
『中欧：ハンガリー、ポーランド、チェコ、スロバキア』、1998、トラベル・ジャーナル「ヨーロッパ・カルチャーガイド 16」、p.52-53
文化科学宮殿公式サイト http://www.pkin.pl/
『グラフ NHK：特集·東欧の新しい波』、1966 年 11 月号、財団法人 NHK サービスセンター、p.1
p.111
木村靖二他編『ドイツ史』、2001、山川出版社「新版·世界各国史 13」、p.338-348（平島健司執筆）
ドイツ造園博物館公式サイト
http://www.gartenbaumuseum.de/
p.113
石山彰監修・浦野米太郎切手蒐集『切手にみる世界の民族衣装』、1978、文化出版局、p.106-107、p.132-135、p.152-153
泉厳男『世界舞踏切手総図鑑』、1990，日本郵趣協会、p.27、p.29、p.65-66、p.78-79、p.116
p.115
ベント·ハーメル監督『キッチン·ストーリー』(2002 年製作映画 DVD)、2004、エスピーオー
p.116-117
Tiina Itkonen, *Inughuit*, 2004, Libris
アーネスト·S·バーチ Jr.『図説エスキモーの民族誌：極北に生きる人びとの歴史・生活・文化』、スチュアート・ヘンリ訳、1991、原書房、p.101-103、p.32-37、p.175
ザカリアス・クヌク監督『氷海の伝説』(2001 年製作映画 DVD)、2004、メディアファクトリー（イヌイットの人々自身による初のセミ・ドキュメンタリー長編映画では、住居・衣服・狩りの技術、バーチ書に書かれた社会生活のあり方を美しい映像で観ることができます)。
小谷明『北欧の小さな旅：ラップランド幻想紀行』、1995、東京書籍
ヨハン·トゥリ『サーミ人についての話』、吉田欣吾訳、2002、東海大学・文学部叢書
Thora Thorsmark, *Children of Lap-land*, 1936, Rand McNally
p.121
John Denune's Christmas Seal
http://www.christmasseals.net/
p.123
ダミアン・ジャクソン監督『スノーマン』(1982 年製作 TV アニメ DVD)、2004、アニプレックス
p.127
増田義郎編『ラテン・アメリカ史Ⅱ 南アメリカ』、2000、山川出版社「新版・世界各国史 26」、p.432-457（松下洋執筆）
p.129
和田春樹編『ロシア史』、2002、山川出版社「新版・世界各国史 22」、p.361-374（塩川伸明執筆）
p.131
前掲・内藤陽介『北朝鮮辞典』、p.45、p.98-99、p.152、p.185-186、p.221-222、p.293
p.133
ジョルジュ・カステラン『ルーマニア史』、萩原直訳、1993、白水社・文庫クセジュ、p.120-125
柴宣弘編『バルカン史』、1998、山川出版社「新版・世界各国史 18」、p.342-344、p.347-349（六鹿茂夫執筆）
p.135
前掲・石山彰監修『切手にみる世界の民族衣装』、p.134
p.136-137
アトミウム公式サイト http://www.atomium.be/
スペース・ニードル公式サイト
http://www.spaceneedle.com/
p.138-141
柏木博『デザインの 20 世紀』、1992、日本放送出版

協会・NHK ブックス

柏木博『20 世紀はどのようにデザインされたか』、2002、晶文社

柏木博『モダンデザイン批判』、2002、岩波書店

p.143

ホフマン「砂男」(『ホフマン短編集』所収)、池内紀、岩波文庫

ヴォルフガング・ベッカー監督『グッバイ・レーニン』(2003 年製作映画 DVD)、2004、カルチュア・パブリッシャーズ

p.149

「家族の庭」連盟公式サイト

http://www.jardins-familiaux.asso.fr/

ケン・オールダー『万物の尺度を求めて:メートル法を定めた子午線大計測』、吉田三知世訳、2006、早川書房

p.152-155

林丈二『オランダ歩けば…』、2000、廣済堂出版、p.5

「名もなき同盟」公式サイト

http://www.bund-ohne-namen.de/index.php

前掲・ジョルジュ・カステラン『ルーマニア史』、p.93-106

前掲・柴宣弘編『バルカン史』、p.300、p.313-315(六鹿茂夫執筆)

p.157

Meyers Konversations-Lexikon, 1897, band16, pl. Tauben

アイデア編集部編『東ヨーロッパのグラフィック・デザイン』、1991、p.48

p.159

南塚信吾編『ドナウ・ヨーロッパ史』、1999、山川出版社「新版・世界各国史 19」、p.363-366(家田修執筆)

p.161

玉井勝美『パリの切手市』、1978、駸々堂ユニコンカラー双書、p.45

p.163

平岩道夫『世界の切手』、1964、保育社カラー・ブックス

前掲・ヘレン・モーガン『世界最高額の切手』

p.172-177

Willy Eisenhart , *The World of Donald Evans*, 1994, Abbeville Press Publishers

Donald Evans、雅陶堂ギャラリー竹芝、1984

平出隆『葉書でドナルド・エヴァンズに』、2001、作品社

イタロ・カルヴィーノ「精神状態の切手」(『砂のコレクション』所収)、脇功訳、1988、松籟社

p.178

トーヴェ・ヤンソン『たのしいムーミン一家』、山室静訳、1978、講談社文庫、p.30-39

『芸術新潮:特集 ムーミンを生んだ芸術家トーヴェ・ヤンソンのすべて』、2009 年 5 月号、p.74。母のデザインした切手の写真あり。

執筆者紹介

(本書登場順)

島崎信

(しまざき・まこと)

1932 年、東京生まれ。インテリアデザイナー、北欧デザイン協会副会長。東京・生活デザインミュージアム理事長。主な著書に『世界のインテリア』(トーソー出版)、『一脚の椅子・その背景』(建築資料研究社)、『デンマーク　デザインの国』(学芸出版社)、『美しい椅子』(全 5 巻、エイ出版社)、『ノルウェーのデザイン』(誠文堂新光社)ほか多数。

武田雅哉

(たけだ・まさや)

1958 年、北海道生まれ。中国文学研究。主な著書に『翔べ!大清帝国』(リブロポート)、『蒼頡たちの宴』(筑摩書房)、『桃源郷の機械学』『新千年図像晩会』(作品社)、『よいこの文化大革命』(廣済堂ライブラリー)、『楊貴妃になりたかった男たち』(講談社選書メチエ)、『中国乙類図像漫遊記』(大修館書店)ほか多数。

荒俣宏

(あらまた・ひろし)

1947 年、東京生まれ。博物学、幻想文学研究、小説家、翻訳家。主な著書に『世界大博物図鑑』(全 7 巻、平凡社)、『図鑑の博物誌』(リブロポート)、『ブックライフ自由自在』(太田出版)、『帝都物語』(角川書店)、『日本妖怪巡礼団』(集英社)、『アラマタ大事典』(講談社)ほか多数。

加藤薫

(かとう・かおる)

1949 年、鎌倉生まれ。ラテンアメリカ、カリブ圏美術史研究。主な著書に『メキシコ美術紀行』(新潮社)、『ラテンアメリカ美術史』(現代企画室)、『メキシコ壁画運動』(平凡社)、『ニューメキシコ　第四世界の多元文化』(新評論社)、『キューバ　現代美術の流れ』(スカイドア)ほか多数。

後小路雅弘

(うしろしょうじ・まさひろ)

1954 年、北九州市生まれ。アジア美術研究。福岡市美術館の学芸員、福岡アジア美術館学芸課長を歴任する。「東南アジア　近代美術の誕生」展、「ベトナム近代絵画展」など、アジアの近現代美術に関する展覧会を手がける。共著書に『アジアの美術』(美術出版社)ほか多数。

柏木博

(かしわぎ・ひろし)

1946 年、神戸生まれ。デザイン評論家。主な著書に『家

事の政治学』(青土社)、『色彩のヒント』(平凡社)、『20世紀はどのようにデザインされたか』(晶文社)、『モダンデザイン批判』(岩波書店)、『「しきり」の文化論』(講談社)、『近代デザイン史』(武蔵野美術大学出版局)ほか多数。

岡谷公二
(おかや・こうじ)
1929年、東京生まれ。フランス文学、美術研究。主な著書に『柳田国男の青春』(筑摩書房)、『アンリ・ルソー』(中央公論社)、『郵便配達夫シュヴァルの理想宮』(作品社)、『レーモン・ルーセルの謎』(国書刊行会)、『原始の神社をもとめて』(平凡社新書)、訳書に『アフリカの印象』(レーモン・ルーセル、白水社)ほか多数。

伴田良輔
(はんだ・りょうすけ)
1954年、京都生まれ。作家、版画家、翻訳家。主な著書に『独身者の科学』(冬樹社)、『女の都』(作品社)、『猫のいる宿』(日本出版社)、『巨匠の傑作パズルベスト100』(文藝春秋)、『BREASTS 乳房抄 写真集』(朝日出版)、『パズリカ』(小学館)、訳書に『ダーシェンカ』(カレル・チャペック、新潮社)ほか多数。

special thanks

(あいうえお順・敬称略)

ご協力に感謝します。

青木尚子(チェコ語、チェコ人形劇)
内藤陽介(郵便学)
関口時正(ポーランド語)
本田晃子(ロシア語)
松村一登(エストニア語)

西尾彩(シトラスプレス／製本指導)
http://www.citruspress.jp/

濱文様(てぬぐい)
http://www.hamamo.com/

佐藤雅洋　古市雅則　森誠一郎

岡部史絵　方喰明香　前島寿美
松原令子　山下陽子

勝本みつる

鳩山郁子

図版提供・初出

acknowledgment

[初出]
p.74-77
荒俣宏「モナコ大公アルベール1世の海洋学博物館」
鳥羽水族館『TOBA SUPER AQUARIUM』No.20、1996 冬号(初出タイトル「荒俣宏の水族館史夜話／第9回 地中海に宝あり:モナコ水族館の楽しみ方」)

[図版]
特に明記されていない写真はすべて
Copyright © KATO, Ikumi 2010

p.16
3bc. Copyright©Solveig Larsson 2009
p.69
5bc. Geological Institute of Hungary
p.75
5. GNU Free Documentation License
6. *Musee Oceanographique*,
Copyright©Dr. Manaan Kar Ray
p.87
個人蔵
p.95
1. Vietnam Fine Arts Museum
2. 福岡アジア美術館蔵
p.104-107
武田雅哉蔵
p.116
3. Copyright©Tiina Itkonen 2004
p.161
1. 玉井 勝美
p.174-177
Copyright©The Estate of Donald Charles Evans
写真提供:横田茂ギャラリー

加藤郁美
（かとう・いくみ）

北海道生まれ。編集者。
作品社に勤務ののち、月兎社発行人。
著書に『どうぶつ帖』（2011、倉敷意匠計画室）、
『シガレット帖』（2011、倉敷意匠計画室）がある。
月兎社 公式サイト
http://www.gettosha.com/

フェロー諸島「普通切手」ブックレット、1975。スラニア彫版。フェロー諸島自治政府の最初の切手。

増補新版

切手帖《きってちょう》とピンセット

1960年代グラフィック切手《きって》蒐集《しゅうしゅう》の愉《たの》しみ

2010年1月7日　初版第1刷発行
2014年2月25日　増補新版第1刷発行

著　　者　加藤郁美

発 行 者　佐藤今朝夫
発 行 所　株式会社国書刊行会
〒174-0056
東京都板橋区志村1-13-15
電話　03-5970-7421
FAX　03-5970-7427
URL　http://www.kokusho.co.jp
E-mail　info@kokusho.co.jp

ブックデザイン　祖父江慎＋福島よし恵（cozfish）

印 刷 所　株式会社シーフォース
製 本 所　株式会社ブックアート

ISBN978-4-336-05778-5